JN102102

オーラル・ヒストリー
聞き書きの世界

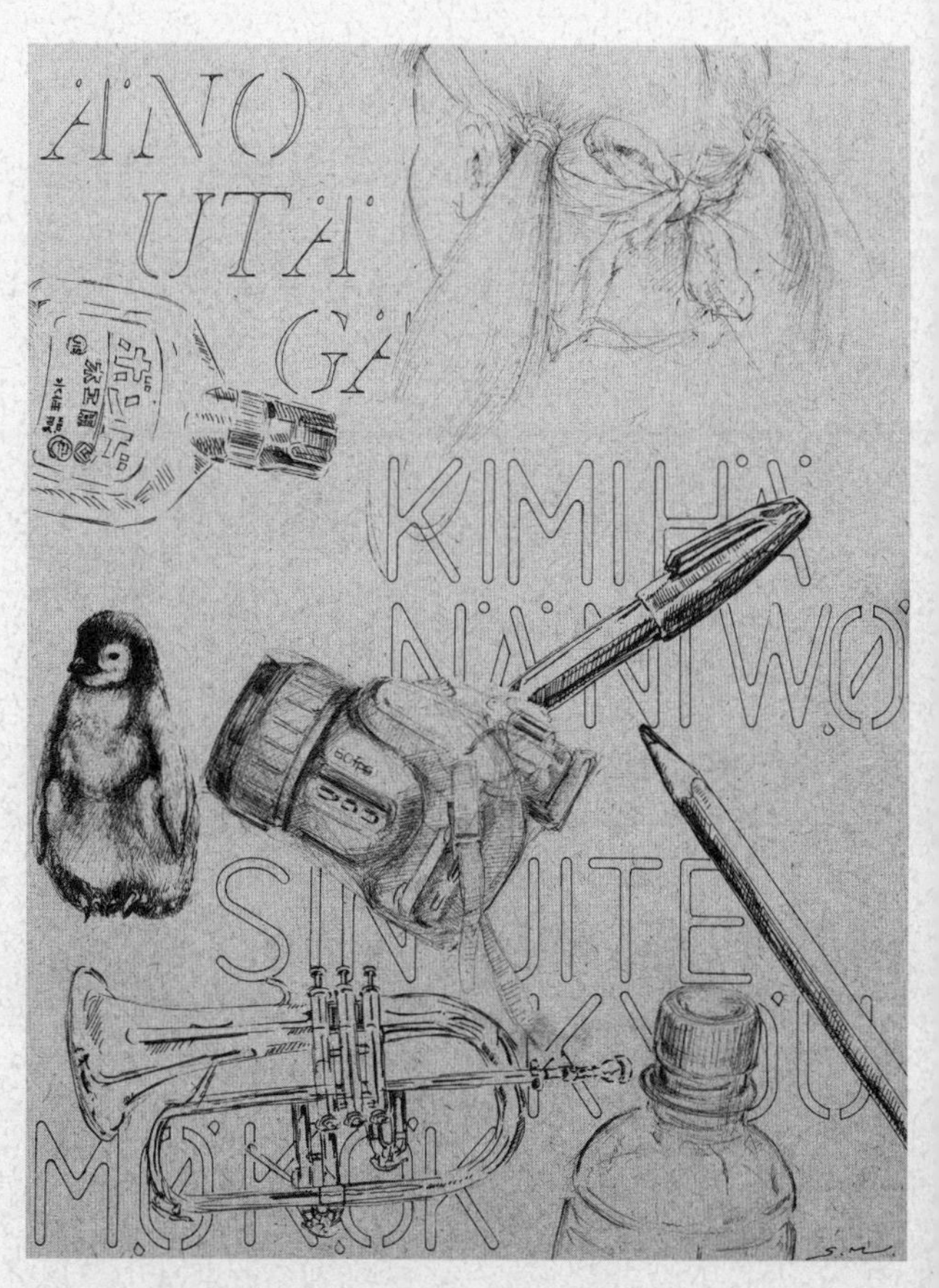

折井美耶子
宮崎黎子
生方孝子　編著

ドメス出版

オーラル・ヒストリー
——聞き書きの世界

私が聞き取ろうとしているのは何だろうか？（中略）戦争のでも国のでも、英雄たちのでもない「物語」、ありふれた生活から巨大な出来事、大きな物語に投げ込まれてしまった、小さき人々の物語だ。

『戦争は女の顔をしていない』スヴェトラーナ・アレクシエーヴィチ

目次

第1章　スヴェトラーナ・アレクシエーヴィチを読む

『戦争は女の顔をしていない』　10
『ボタン穴から見た戦争――白ロシアの子供たちの証言』　13
『亜鉛の少年たち――アフガン帰還兵の証言』　15
『チェルノブイリの祈り――未来の物語』　17
『セカンドハンドの時代――「赤い国」を生きた人びと』　19

❖

ノーベル文学賞作家スヴェトラーナ・アレクシエーヴィチ
　折井美耶子　22
「小さき人びと」に寄り添って　宮崎黎子　26

第2章　森崎和江と石牟礼道子を読む

『まっくら　女坑夫からの聞き書き』森崎和江　30
『からゆきさん　異国に売られた少女たち』森崎和江　32
『苦海浄土』石牟礼道子　34

❖

森崎和江と石牟礼道子を読む　生方孝子　37

第3章　オーラル・ヒストリーの歩み

Ⅰ　沈黙の地帯から〈1958～〉

『日本の底辺　山陰農村婦人の生活』溝上泰子　44
『民話を生む人々――広島の村に働く女たち』山代巴　46
『忘れられた日本人』宮本常一　49

Ⅱ　あの人は帰ってこなかった〈1964～〉

『あの人は帰ってこなかった』菊池敬一・大牟羅良編　52
『戦場の村――ベトナム　戦争と民衆』本多勝一　55
『新版　あゝ野麦峠――ある製糸工女哀史』山本茂美　58
『在日朝鮮女性の半生　身世打鈴』むくげの会編　61
『サンダカン八番娼館――底辺女性史序章』山崎朋子　63
『妻たちの二・二六事件――遺されたものの三五年』澤地久枝　66

Ⅲ　ひたむきの女たち〈1975～〉

『ふるさとの女たち――大分近代女性史序説』古庄ゆき子　70
『聞書　ひたむきの女たち　無産運動のかげに』牧瀬菊枝　73
『労働者と農民』〈日本の歴史29巻〉中村政則　76
『口述の生活史――或る女の愛と呪いの日本近代』中野卓編著　79
『近代日本女性史への証言　山川菊栄／市川房枝／丸岡秀子／帯刀貞代』「歴史評論」編集部編　82

『水子の譜（うた）――引揚孤児と犯された女たちの記録』上坪隆　84
『わたしは瞽女（ごぜ）　杉本キクエ口伝』大山真人（まひと）　87
『塩を食う女たち　聞書・北米の黒人女性』藤本和子　90
『浜の女たち――銚子聞き書き』常世田令子　93

Ⅳ　戦争と戦後を生きる〈1985〜〉

『「よい戦争」』スタッズ・ターケル　中山容他訳　96
『私たちの中のアジアの戦争――仏領インドシナの「日本人」』吉澤南　98
『須恵村の女たち　暮しの民俗誌』ロバート・J・スミス／エラ・ルーリィ・ウィスウェル　100
『エル・チチョンの怒り――メキシコにおける近代とアイデンティティ』清水透　103
『聞書水俣民衆史』全5巻　岡本達明・松崎次夫編　106
『スミス夫人たちの戦争　第二次世界大戦下のイギリス女性』コリン・タウンゼンド／アイリーン・タウンゼンド編　108
『原子野（げんしや）の『ヨブ記』　かつて核戦争があった』伊藤明彦　111
『アンダーグラウンド』村上春樹　113
『ここに生きる――村の家・村の暮らし』古庄ゆき子　115
『ラディカル・オーラル・ヒストリー　オーストラリア先住民アボリジニの歴史実践』保苅実　118
『黄土の村の性暴力――大娘（ダーニャン）たちの戦争は終わらない』

石田米子・内田知行編　121
『在日一世の記憶』小熊英二・姜尚中編　124
『母の遺したもの　沖縄・座間味島「集団自決」の新しい証言』宮城晴美　127
『戦争と戦後を生きる──一九三〇年代から一九五五年』〈日本の歴史15巻〉
大門正克　129

V　今を生きる〈2013〜〉

『証言記録　東日本大震災（Ⅰ）Ⅱ』NHK東日本大震災プロジェクト　132
『飯舘村を歩く』影山美知子　134
『生きて帰ってきた男──ある日本兵の戦争と戦後』小熊英二　137
『介護民俗学へようこそ！「すまいるほーむ」の物語』六車由実　139
『原発労働者』寺尾紗穂　141
『ひとりの記憶　海の向こうの戦争と、生き抜いた人たち』橋口譲二　144
『戦争を悼む人びと』シャーウィン裕子　147
『16歳の語り部』語り部──雁部那由多、津田穂乃果、相澤朱音／
案内役　佐藤敏郎　150
『知らなかった、ぼくらの戦争』アーサー・ビナード編著　152
『ホロコースト　女性6人の語り部』大内田わこ　155
『沖縄戦史　各論編6　沖縄戦』沖縄県教育庁文化財課史料編集班　編　158
『核実験地に住む　カザフスタン・セミパラチンスクの現在』
アケルケ・スルタノヴァ　161

『〈化外〉のフェミニズム――岩手・麗ら舎読書会の〈おなご〉たち』
柳原恵　164
『福島モノローグ』いとうせいこう　167
『風よ鳳仙花の歌をはこべ　関東大震災・朝鮮人虐殺・追悼のメモランダム』ほうせんか（関東大震災時に虐殺された朝鮮人の遺骨を発掘し追悼する会）編著　169
参考文献／学会・研究会紹介　折井美耶子　171
あとがき　175

装画　宮﨑　聡子
装幀　市川美野里

第1章　スヴェトラーナ・アレクシエーヴィチを読む

『戦争は女の顔をしていない』スヴェトラーナ・アレクシエーヴィチ　三浦みどり訳

群像社　２００８／岩波現代文庫　２０１６

『チェルノブイリの祈り』などで、二〇一五年度のノーベル文学賞を受賞したスヴェトラーナ・アレクシエーヴィチの第一作である。

一九三九年ドイツがポーランドに侵攻したことによって、第二次世界大戦がはじまった。そして四一年六月、独ソ戦が開始する。この戦争に従軍したソ連の女性は、正規軍だけでなくパルチザンも含めて一〇〇万人を超えたといわれている。この女性兵士たちに取材した本書は、八三年に書かれたが、世に出るまでに二年もかかったという。体制側から非難され、ペレストロイカによってようやく日の目を見、大きな社会的反響を浴びた。

第二次世界大戦では、ソ連のほかにイギリス・アメリカで女性兵士が戦闘に参加している。数量的にも最も多く、しかも男性と同じ職務についたソ連の女性兵士については、ジーン・ベスキー・エルシュテイン『女性と戦争』、佐々木陽子『総力戦と女性兵士』などで触れられている。しかしその生ま生ましい実情は、本書によってはじめて明らかにされた。

一八歳以上の志願兵が多いが、一七歳はおろか一六歳の少女たちも「祖国を守る」熱意に燃えて志願する。昨日までダンスに夢中だった女の子が、「実戦用のライフルの撃ち方や手榴弾の投げ方」を講習会で習っただけで徴兵司令部にやってくる。そして数日後には召集令状を手にする。見事な金髪のお下げ髪はばっさり切り、下着からすべてだぶだぶの男物の軍服に身を包んで、貨車に載せられて前線に着く。そしてついた任務は、狙撃兵、飛行士、歩兵、斥候、軍医、通信兵、武装警備隊、看護師、高射砲手などなど。そこは夢見た勇敢な戦士の活躍する華やかな戦場ではなく、飛行機の機銃掃射や爆弾が飛び交い、敵味方の区別もつかないほどの死体の山、硝煙と生臭い血の臭い。衛生指導員とされた少女は、負傷し戦場の真っ只中に置き去りにされた味方の兵士を、銃弾の降るなかを這っていき引きずってくる。「やっぱり女は」と言われたくなかった。しかし女性兵士たちが行軍した砂地には、点々と赤いしみが残っていた。脱脂綿や包帯は負傷者の分さえも足りなかった。ドイツの侵攻で中立地帯に残された住民から、ある日連絡が入る。「お産が始まっています」、准医師の女性は、自動小銃を持った兵士に守られながらひそかに進み、小屋にたどり着く。「我慢してね、声を立ててはだめですよ！」敵に気づかれれば銃弾の雨となる。ようやく赤ちゃんが生まれて、ささやき声で「万歳！」死の臭いに満ちた前線での生命の誕生！　母となった人は感謝の気持ちをこめて「あなたの名前をとってアンナと名づけるわ」と。

　四五年五月ドイツは降伏した。勝利をかちとった兵士たちは故郷に帰ってくる。しかし女性兵士を待っていたのは賞賛の声ではなかった。「男ばかりの戦場で何をしてきたことやら」という声。「赤星勲章」「戦闘功績記章」などさまざまな勲章も、男たちは誇らしげに胸に飾ったが、女性たちは簞笥の奥底にしまった。

体調を崩してしまった女性も多い。薬では治らない。医師は「あなたは一六のときだったから、まだ若くて、身体がひどくトラウマをうけてしまった」のだという。

スヴェトラーナはこうした女性たちを訪ねて、丹念に聞き取りをした。「戦争について知っていることは全て『男の言葉』で語られている。わたしたちは『男の』戦争観、男の感覚にとらわれている。その戦争の物語を書きたい。女たちのものがたりを」（O）

漫画『戦争は女の顔をしていない』全四巻　小梅けいと画、速水螺旋人監修　二〇二〇〜二三　KADOKAWA　二〇二一年第五〇回日本漫画家協会賞受賞

『ボタン穴から見た戦争――白ロシアの子供たちの証言』　スヴェトラーナ・アレクシエーヴィチ　三浦みどり訳
群像社　２０００／岩波現代文庫　２０１６

一九四一年にナチス・ドイツの侵攻を受けた白ロシア（現べラルーシ）では数百の村で、老人から赤ん坊まで焼き殺された。六二八の村が焼き払われ、人口の四分の一を失った。本書はそのとき子どもだった一〇一人の証言を集めている。

当時二～五歳、せいぜい一四、五歳の子どもたちである。四〇年たって、そのころのことを思い出して語れるだろうかという著者の心配は杞憂だった。

子どもの記憶は、「あのころのまま、子どもの感覚で感じた具体的な感じのまま」しっかりと焼き付いていたのだ。それを幸せとは言えないことは本書を読めばわかる。

村も人も焼き尽くされ、一斉射撃を浴びて逃げ惑った子ども時代、爆弾や弾丸、飢餓との戦い、目の前で父親や母親が殺されていったこと、誰がそんな子ども時代を体験して、傷つかずにいることができただろうか。「子ども時代は戦争までだった」と、五歳だったミハイルは言う。以後はすべて黒い色で覚えている。「ぼくたちが子どもだって？」、一三歳だったグリーシャは言う。早く大人になって、一人前の働きをしなければならなかった。一二歳のワーシャは血だらけの拷問部屋の掃除をさせられ、自分も殺されかけた。

両親も兄弟も殺されて森のそばに転がっている。村を逃れるとき、おばさんたちは死体のところへは行かせなかった。

「子どもたちは集められ、馬橇（ばそり）に両脇をひかせて首をつられる人を見るように言われました。泣くと銃殺されました」「母は、目をくりぬかれ、髪を引きむしられ、胸を切り落とされたのだと、何年もたってから聞いた」「お母さんのそばを離れなかった三歳のガーリャにシェパードをけしかけてずたずたにし、母親の目の前に咥（くわ）えてきた。子どもを先に殺し、母親の苦しむのを見てから親を殺したのです」「私は気がくるってしまうと思いました」「考えないようにしてるんです。忘れなければいつも涙を浮かべていることになります」「死人よりもこんなことを命令する生きた人間のほうが怖くなりました。」

「わたしは五一歳で、自分の子どもがいます。でもやっぱりお母さんが恋しい」「ずっと孤児院にいました。家族——これは手の届かない一番の憧（あこが）れでした」「父さん、母さん、黄金の言葉です」「戦争が終わってもだれも迎えに来てくれませんでした」。一二歳のニュドミーラは「この世は愛（いと）おしきなり」とプーシキンの詩を読んでいたお父さんを、死んだものとして想像できない。「わたしはおとなしい無口な子に育ちました。話したくなかったんです。」両親を失った子どもたちは「孤児院」や病院や、知らない人に引き取られて大きくなった。そんな子どもたちはたくさんいて、周りの大人たちから親切にしてもらえたのがせめてもの救いだ。だから生き延びた。そうでなかった子どもたちは本書には登場しない。「不安に満ちたこの時代に子どもたちの心や命をどう守ってやったらいいのでしょう?」と著者は問いかけている。（U）

『亜鉛の少年たち――アフガン帰還兵の証言』　スヴェトラーナ・アレクシエーヴィチ　奈倉有里訳　岩波書店　2022

同書は『アフガン帰還兵の証言―封印された真実』というタイトルで、一九九五年、日本経済新聞社から出版された。訳者の三浦みどりはなくなっている。本書はその増補新訳で、刊行後に起こった裁判の記録や、投書など、一〇〇頁余を追加している。

ソ連軍のアフガニスタン侵攻が始まった一九七九年末から正式撤退に至るまでの一〇年間に、ソ連各地からアフガニスタンに送られた将兵、息子や夫を失った女性、従軍していた女性たち四七人から聞き取ったオーラル・ヒストリーである。この記録によって、アフガン戦争の真実が一般の人びとの目にふれることになった。原文には聞き取り対象者全員の名前と階級が記されている。

「歴史はウソをつく」と冒頭で著者はいう。『戦争は女の顔をしていない』（一九八五年）を書いて、肉体的、精神的限界を感じ、「戦争のことはもう書くまい」と決心していた著者を動かしたのは、長距離バスの待合室で見た、精神に異常をきたしたアフガン帰りの若い兵士の姿だった。

検閲で「兵士たちの死」は書かれないように監視され、墓標にも「戦死」とは書かれずに「死亡」とされ、密(ひそ)かに埋葬されていたので、人びとは多くの若者が命を落とし、心身に深い傷を負って帰還していることを知らなかった。

ソ連各地から毎年一〇万人もの少年たち（徴兵年齢は一八歳）が、「国際主義の義務」（社会主義の兄弟国の危機を救う国際的義務ということになっていた）を果たすための要員としてアフガニスタンに送り込まれ、その戦死者たちが亜鉛張りの封印された棺に納められて家族のもとに返されていた。

兵士「中国製、アメリカ製、パキスタン製、ソ連製、イギリス製の武器が戦利品としてひとところに集められる。どれも俺たちを殺すのに使われた。恐怖感は勇気よりもっと人間的だ。怖がり、せめて自分自身を哀れんでやる。恐怖を意識の奥に押し込めようとする。家から千キロも離れたところでみっともなく転がったままかもしれないなんて思いたくない。宇宙に人間が飛んでいく時代なのに数千年前と同じように人は殺し合っている。弾丸、刃物、石を使って、あちこちの部落で味方の兵士たちが熊手で刺し殺された。」

看護婦「『戦争は正義のためだ』『アフガニスタンの民衆が封建主義を倒し、明るい社会主義社会を建設するのを助けるのだ』と言われていました。わが国の若者たちが戦死していることはなぜか口をつぐんでいたので、アフガニスタンはマラリアやチフスや肝炎などの疫病が多いからだろうと思っていたのです。（中略）三月いっぱいは切断された手や脚、わが軍の兵士や将校の身体の一部がテントのそばに山積みされていました。死体は半裸で眼をくりぬかれ、背中や腹が星型（旧ソ連軍のシンボル）に切れています。」（M）

『チェルノブイリの祈り──未来の物語』　スヴェトラーナ・アレクシエーヴィチ　松本妙子訳
岩波書店　1998／岩波現代文庫　2011／2021〈完全版〉前書に加筆、修正し、70ページほどを加える。

ウクライナ生まれの著者は一九八六年の原発事故後まもなく取材のためにチェルノブイリに入った。しかし今書いても「事故の緊急レポートにすぎない」と身を引いたという。そして一〇年後、本書がまとめられた。著者は原発の従業員、科学者、元党官僚、医学者、兵士、移住者、サマショール（強制疎開の対象となった村に帰ってきて住んでいる人）など三〇〇人に話を聞いている。

本書は消防士の夫を事故で亡くした妻の語りから始まる。

「──私たちは結婚したばかりでした。買い物に行くときも手をつないで歩きました。『愛しているわ』って私は彼に言う。でもどんなに愛しているかまだわかっていませんでした。かんがえてみたこともなかった。」

駆け付けた病院は、計器の針が振り切れるほど汚染されていて近づけない。知り合いの女医に頼んでこっそり入れてもらった。ちなみに、この病院の医者、看護師、看護員は、ほとんど亡くなった。夫は、全身がむくみ、はれ上がっていて目はほとんどなかった。その時彼女は妊娠していた。抱擁もキスもダメ、泣いたらすぐ追い出すといわれた。

彼女は、一四日間、放射線病棟の夫に、毎日会いに行く。

「彼は変わり始めました。私は毎日違う夫に会ったのです。やけどが表面に出てきました。口の中、舌、ほお。最初に小さな潰瘍ができ、それから大きくなった。粘膜が層になって剝がれ落ちる。白い薄い膜になって。顔の色、体の色は青色、赤色、灰色がかった褐色。でもこれはみんな私のもの、私の大好きな人、とても言葉では言えません。」夫の死までを看取り、埋葬し、その後生まれた子も亡くし、同じところに埋葬した。彼女はその詳細について語っている。

チェルノブイリ事故は何を壊したのか、この語りだけでもよくわかる。続く聞き書きも、告発ではなく、失われたものについて語っている。著者は、一人ひとりのライフストーリーをじっくり聞いている。事故の前までの暮らしが、どんなに幸せなものだったか。亡くなった人をどんなに愛していたか。その死をどう受け止めたか。そしていまどのように生きているか。誰もが、未知の事故に遭遇してとまどい、恐れ、疑い、嘆き、あるものは忘れようとしている。それはまた、再稼働を始めた原発の下に暮らす私たちの姿と重なる。

「国家というものは自分の問題や政府を守ることだけに専念し、人間は歴史の中に消えていくのです。革命や第二次世界大戦の中に一人ひとりの人間が消えてしまったように。だからこそ、個々の人間の記憶を残すことが大切なのです。」と著者は語る。

本書は、チェルノブイリ原発事故の一一年後の一九九七年、雑誌『諸民族の友好』に発表され、各国で出版された。しかし独裁者ルカシェンコ大統領の下のベラルーシでは出版できていない。（U）

『セカンドハンドの時代――「赤い国」を生きた人びと』

スヴェトラーナ・アレクシエーヴィチ　松本妙子訳

岩波書店　2016

スヴェトラーナ・アレクシエーヴィチが「ユートピアの声」と名づけた五部作の最後の作品であり、六〇〇ページにも及ぶ大著である。最初に、「わたしたちはソヴィエト時代と別れつつある。わたしたちのあの生活と。わたしは、社会主義ドラマに参加していた全員の声をおしまいまで誠実に聞こうとしている」で始まる「共犯者の覚え書き」を、一二ページにわたって書いている。

彼女自身、ソ連時代の一九四八年のウクライナに生まれ、共産青年同盟（コムソモール）にも入っていた。やがてペレストロイカを経験し、九一年、ソ連は崩壊した。新しい未来が始まるはずだった。しかしそれは、「不平等で、貧困で、厚顔無恥の豊かさ」の、「セカンドハンドの時代」だという。

一九一七年の社会主義革命によってソ連という国は誕生した。人が人を搾取することのない自由で平等な社会を実現するはずだった革命。その理想に燃えて、多くの国民は真面目にそのユートピア建設に励んでいた。しかしその実験は七十余年を経て崩壊した。それは政治権力を握ったわずかな人たちのせいだったのか。

本書は、第一部　黙示録による慰め（一九九一―二〇〇一）と第二部　空(くう)の魅力（二〇〇二

―一二）に分かれて、それぞれ「街の喧騒と台所の会話から」、そして「十の物語」からなっている。

第一部は、体制の崩壊と混乱の時代。ある夫婦は、ペテルブルグ大学を卒業したが、「いきなり資本主義がおそいかかって」、夫はボイラー室の缶たき、妻は道路清掃人。「インテリたちは見るも無残な落ちぶれよう」だった。九〇年代は、考え方が一八〇度ひっくりかえって、耐え切れず精神に障害をきたした人がいて、精神科病院は満杯だった。

第二部は、「プーチンの二〇〇〇年代……。どんな時代かって？　栄養たっぷりで……灰色で……情け容赦のない……セックスとマネーの……。」

母親たちは、「あのころのくらしは悪かった。でも、いまのくらしは恐ろしい」「わたしたちの国にはふたたび公爵や大地主と賦役の民があらわれた」「マルクスの本に『資本家は泥棒だ』と書かれているって。マルクスのいうとおりだわ」。

この本で語られているのは、社会主義ソ連から資本主義ロシアへの移行期に生きている、ごく普通の市民たちである。その混乱の中で、生きる意味を見失い自殺した多くの人がおり、その証言集『死に魅入られた人びと――ソ連崩壊と自殺者の記録』（群像社　二〇〇五）から八人の証言が、本書に収録されている。

「セカンドハンド」とは何か。何の「セコハン」「お古」なのか。十分に近代‐資本主義社会を経験することなく、革命によって社会主義建設に向かったソ連、その崩壊後、後追いする形で「使い古された」資本主義の社会に急激に参入した。

「私たちは使い古しの時代を生きているのか」は本書の帯に書かれた言葉である。

いずれにしても、スヴェトラーナのオーラル・ヒストリーは素晴らしい、というより凄みさえ感じられる。彼女の強靭な精神力とエネルギー、そして単なる聞き書きではなく、読ませる、構成力に感服するほかはない。（O）

ノーベル文学賞作家スヴェトラーナ・アレクシエーヴィチ

折井美耶子

スヴェトラーナ・アレクシエーヴィチは、『チェルノブイリの祈り　未来の物語』などの著作で二〇一五年度のノーベル文学賞を受賞した。彼女は受賞後の「負け戦」と題した記念講演の冒頭で、「この壇上にいるのはわたしひとりではありません。……声をあげてくれた何百人という人たちが私とともにここにいます。その人たちはいつも私と一緒なんです」と述べた。アレクシエーヴィチは、一九四八年、母の故郷であるウクライナで生まれ、父の故郷であるベラルーシで育った。どちらも旧ソ連邦を構成する共和国だったが、ソ連解体後、ウクライナ共和国とベラルーシ共和国として独立した。

しかし現在ベラルーシは、二〇二〇年の大統領選挙における現大統領ルカシェンコの不正をきっかけにおきた市民の抵抗運動を弾圧し、多くの民主的な市民は国外に脱出、アレクシエーヴィチもまた国外に亡命中だ。そしてウクライナは、二二年二月二四日から始まったロシアによる一方的な軍事侵攻にさらされている。街は破壊され、多数の市民が身一つで国外に逃れ、残った人びとは命の危険にさらされ、民間人の死者は数万人を超えたといわれている。アレクシエーヴィチの二つの祖国は、現在どちらも平穏な状態にはない。

アレクシエーヴィチの祖父は、第二次大戦で戦死、祖母は、パルチザン活動中にチフスとなり死亡。三人兄弟中生き残ったのは彼女の父のみ。そしてチェルノブイリ事故で、医師の妹は、五か月後に死亡、その娘はアレクシエーヴィチの養女となっている。

アレクシエーヴィチは国立ベラルーシ大学ジャーナリズム学部に学び、卒業後はジャーナリスト（雑誌記者など）の道を歩んだ。使用言語はロシア語。最初の取材を始めたのは、一九七八年三〇歳のときだった。多数の、しかも綿密なインタビューで、「小さな人びと」と呼ぶ普通の市民の声を記録。国家権力による妨害に抗（あらが）いながら、彼女が「ユートピアの声」と名付ける五部作を完成させた。

ノーベル文学賞の授賞理由は、①多声的な著作　②現代の苦悩と勇気の記念碑　とされている。ほかにも、一三年、メディシス賞（フランス）、一四年、ボリシャヤ・クニーガ賞（読者投票部門　一位　ロシア）、一五年、リシャルト・カプシチンスキ賞（ポーランド）などを受賞している。

アレクシエーヴィチは二〇〇〇年、〇三年、一六年と三回来日し、一六年には福島を訪問している。そしてこの年一一月二五日には、東京大学で講演。「人間が自然と共生するための新しい哲学が必要だ」「原発事故は新しい形の戦争だ」と述べた。また一一月二八日、福島から戻ってからの東京外語大学では、名誉博士号を授与されたのちに講演。「ウクライナ、ベラルーシではいまだに三〇キロ圏内が立ち入り禁止になっているのに、日本ではなぜ解除が進んでいるのか」「日本のように自由な国で、なぜ被災者は団結して政府に立ち向かわないのか」「日本社会には抵抗という文化がない」などと述べた。また「私の本は証言集ではなく、多数の声からなる長編文学です」「人間は大きな歴史の中では一粒の砂にすぎませんが、小さな歴史から大きな歴史が生まれるのです」と述べている。

アレクシエーヴィチは、現在亡命先のドイツで「新作」を執筆中という。ベラルーシのルカシェンコという独裁者に対して民衆が起こした抵抗、それは「革命」だという。「白・赤・白のベラルーシの国旗をもって……人々はまるで祝祭に出かけるかのように歩いていました。手に花を持ち、女性たちは白いドレスを着て……やがて……何台もの戦車や装甲車が……兵士が……デモ参加者がひどく殴られるようになり、何千という人が投獄された」（インタビュー「抵抗するために『聞く』」、『文藝』二〇二一年冬）。

現在、アレクシエーヴィチの二つの祖国は、彼女が望んでいる状況とは全く反対に、ベラルーシのルカシェンコ大統領は、ロシアのプーチン大統領とともにウクライナ攻撃に手を貸している。いずれアレクシエーヴィチは、そうした状況を告発する「作品」をまとめるのではないだろうか。

ＮＨＫの『１００分de名著　声を記録する　戦争は女の顔をしていない　アレクシエーヴィチ』のテキストによると、彼女は「私の作品はオーラル・ヒストリーではなく、文学」と語っている。しかし解説では、「その作品が文学と歴史学の境界領域にあるということは言える」としている。

本書では、彼女の作品を、オーラル・ヒストリーの優れた作品として取り上げた。

『アレクシエーヴィチとの対話――「小さき人々」の声を求めて』スヴェトラーナ・アレクシエーヴィチ、沼野恭子ほか、岩波書店、二〇二一

『100分de名著　声を記録する　戦争は女の顔をしていない　アレクシエーヴィチ』沼野恭子　NHK出版、二〇二二

「小さき人びと」に寄り添って

宮崎黎子

「子どもの頃、戦争ものが嫌いだったこの私が、戦争についての本を書いている」とアレクシエーヴィチは言う。一九二二年のソ連邦結成から九一年の崩壊までの歴史は、内戦も含めて戦争の歴史であった。そのなかで、アレクシエーヴィチは生きてきたのだと改めて思う。

二〇世紀、広大な国土で行なわれた壮大な社会主義の実験国家の七〇年。それはソヴィエトという名の収容所だったという。そして酷寒の地シベリアは、何百万人もの人が流刑された収容所の中の収容所であったと。

母方の祖母はウクライナ人。戦死して、ハンガリーのどこかに葬られており、父方の祖母はベラルーシ人、パルチザン活動に加わり、チフスで亡くなっているという。父の兄弟は三人だったが、二人は戦争が始まったばかりの数か月で行方不明。父だけが帰還した。

アレクシエーヴィチの子ども時代、子どもたちは戦後何年たっても「ドイツ軍」と「ソ連軍」ごっこをしていた。「子どもだった私たちは戦争のない世界を知らなかった」とアレクシエーヴィチは振り返る。

故郷ベラルーシは冬は零下四〇度にもなり、橇も燃料として燃やされ、子どもたちは、転がっていたドイツ兵の凍った死体を橇がわりにして遊んだ。当時もドイツ兵は敵だった。だが、祖母は「世界は単純ではない。善と悪とに分けて考えられるものではない」と悪魔としてのドイツ兵ではない語りを聞かせてくれた。それが祖母の教えとなっているとアレクシエーヴィチは語っている。

アレクシエーヴィチは国家の歴史ではなく、「小さき人びと」の声に耳を傾け、寄りそって、自分の人生を語り始めた人びとの思いを記録した。彼女自身も小さき人として、当事者として書くと。アレクシエーヴィチの作家活動の出発点になった作品は、『戦争は女の顔をしていない』である。七八年に取材を始めた。すでに何千と戦争については書かれていた。だが、書いていたのは男たちで、「男の言葉」で語られ、男の戦争観、感覚で書かれていた。女たちが語ってくれたことには、とてつもない秘密が牙をむいていた。「女たちの」戦争には色、臭いがあった。「なぜ女たちは男ばかりの世界で自分の地位を主張し、獲得したのに、自分の物語を守りきらず、自分たちの気持を、自分を信じなかったのか」、アレクシエーヴィチの問いであった。

「一つの世界が知られないままに隠されてきた。女たちの戦争は知られないままになっていた。女たちの戦争の物語はそれまでとまったく違う世界を見せてくれた」とアレクシエーヴィチは言う。「想い出話は歴史ではない。文学ではない」とよく言われるが、生の現実、まだ温もりの冷めぬ人間の声、過去の生ま生ましい再現にこそ、原初の悦びが隠されており、人間の生の癒しがたい悲劇性もむき出しになると確信し、「痛みに耳を澄ます……過ぎた日々の証言としての痛みに……それ以外の証言を私は信じない」、アレクシエーヴィチの言葉である。

二〇〇一年から一一年まで、西欧の「文学者を支援する」基金の援助でイタリア、フランス、スウェーデンなど、各地を転々とした。言論統制、出版禁止など、さまざまな形の迫害から逃れるためであった。

一五年『チェルノブイリの祈り』を主著としてノーベル文学賞を受賞した。授賞式から帰国したときも、ミンスク空港に数百人の市民が出迎えたが、公人の姿はなく、テレビもラジオも沈黙していたという。

医師であった妹をチェルノブイリの原発事故後二か月で失った。アレクシエーヴィチは、母を失った姪の養母となった。自身を目撃者であり、当事者であり、またこうした事態を招き寄せた加害者の一人として、名もなき小さき人びとに寄りそう、自らも小さき人と自認するアレクシエーヴィチ。一六年、東日本大震災後の福島を訪れたとき、絶望的な状況のなか、生き抜いている人びとに出会い、「孤独でも、人間であることを丹念に続けるしかない」と語った言葉を重く受けとめたい。

第2章　森崎和江と石牟礼道子を読む

『まっくら　女坑夫からの聞き書き』森崎和江

理論社　1961／現代思潮社　1970／三一書房　1977／岩波文庫　2021

本書は一九五九年七〜九月号、六〇年二〜四月号の『サークル村』に、「スラをひく女たち」のタイトルで連載された。理論社版はそれに手を加えたものである。『サークル村』は、当時、詩人の谷川雁と森崎らが、福岡県遠賀郡中間町に移り住んではじめたサークル交流誌である。

歴史家の大門正克は、『まっくら』を「五〇年から七〇年代にあらわれた女性の経験を聴く動きの中で、聞き書きの形をとる先駆的な作品」と位置付けている。

しかし森崎は「方法論」としての聞き書きとして本書を書いたのではない。

岩波版の付録「聞き書きの記憶の中を流れるもの」（『思想の科学』一九九二年一二月号）で、「まだ聞き書きという言葉も耳にしたことはなく、ただ一途に自分の寂寞に押されて、母国の母世代祖母世代の心と生活の根っこにふれようと、おずおずと」、まだ目のあかない息子をねんねこで負んぶし、娘の手をしっかりとにぎって、炭鉱住宅に住む女性を訪ねていた。植民地育ちで日本の風土に生ききれない自身の心許なさから、文字化されていない人びとの声を聴くことで救われたかった、と述べている。だから「心を無にして、相手の思いの核心に耳を澄まし」、「こちらの予定テーマを持たな」かった。

一〇人（三一書房版から「赤不浄」を追加）の女坑夫からの聞き書きは、そのようにしてできた。ここにはそれまでどこにも明らかにされてこなかった、炭鉱で働く女たちの誇りと自立が、高らかに語られている。

「坑内ちゃあぶなかとこじゃけん。いのち知らずの仕事じゃけ。四つん這いになって、レールを手でしっかり握って、石をいっぱい積みこんだスラ（石炭を入れる函）をね、滑りおちんように頭でささえてばい、三〇度以上ある傾斜をじりじりあとずさって持って下がるとばい。口にカンテラをくわえてな」。

〝赤い煙突めあてでゆけば　米のまんまがあばれ食い〟

と歌われたような、この明るさはどこから来るのか。地縁、血縁の貧しい農村を逃れて、四反田でようやく食える農地を、三反田さえ無くして流れ込んだものもいる。地の底の坑内労働を選んだとき、裸一貫の、危険と隣り合わせの労働が、余計なものをはぎ取るのか。「じぶんの口はじぶんで食うて」働いて生きることとの原初的な自由が、女たちを輝かせている。まぶしいばかりのこの自由は今の私たちには遠いものになってしまった。当時は炭鉱に働きに行くのは前科者か、食いはぐれと思われていた（『日本残酷物語』現代編2、平凡社）。落盤やガスによる事故、けつわり（逃亡）をしたものへのすさまじい制裁や、労務の暴力も話されている。

一九三五年、女性の坑内労働が禁止され、やがて閉山によってこのような現場は消え、こうして働いた女たちも今は亡い。貴重な記録となった。

現代思潮社版から入れられた山本作兵衛の絵が話の細部を補っている。（U）

『からゆきさん　異国に売られた少女たち』森崎和江

朝日新聞社　１９７６／朝日文庫　２０１６

本書は不思議な本だ。たまたま知りあった綾さんを通して、おキミさんというその養母の話に触れていく。養母は一六歳で売られて玄界灘を越えた〝からゆきさん〟であった。綾さんも〝からゆきさん〟の娘だった。

森崎は〝聞き書き〟ではもう出会うことができなくなった〝からゆきさん〟について、明治の「福岡日日新聞」や「門司新報」を調べる。毎朝七時過ぎの汽車に乗って、小倉の郊外から博多へ新聞を読みに通った。そして古い「密航婦」の記事の奥から、売られていった少女たちの実態に迫ろうとする。

彼女たちの中には、目的地に着くまでに、船底におしこまれて、食事も与えられず、排泄物にまみれて死んでいった者や、ぜげんや船員に犯された者もいた。

これは、貧しさから逃れるため、異国に身を売った女たちの物語だ。そのひとりをも著者は見逃さない。長崎稲佐のお栄（明治三九年「福日」）は、『長崎市史』に稲佐に料理屋を開いた道永エイとある。アラビアお磯はウラジオストックで女郎屋を開業（明治四三年「福日」）、島原三会村に、明治三〇年代にお稲という名の知れた〝からゆきさん〟がいた。シンガポールで成功し、小浜温泉でホテルを経営した等々、当時の新聞に残された女の名を残さずつづろうというかのような勢いである。

明治三五年から四四年の「密航婦」を集計したら、長崎市と島原半島、天草が際立っていた。そのまま筑豊の炭坑夫の出身地と重なっていると、『まっくら』をまとめた著者は気づく。そして天草と島原を歩いた。今更歩いたとて、どうなるものでもないと知りながら。天草では「おなごのしごとをした」と語るおばあさんに出会った。

著者は明治の戦争前と後とでは、娘たちを抱きかかえていた「風土」が違っていたことにきづく。「娘宿」や「若者宿」に育まれて育った娘たちには、「理屈抜きの幅広い性愛」がある。そこに浮かぶのは、身ひとつで、生きるために売れるものをすべて売って、異国で働いたおんなたちの話である。大半は身体を壊し、異国で逝った。ごくまれに娼館の主として成功したり、奥さんか、お妾さんに収まったものもいたが、たいていは生まれた地に戻れなかった。そんな女たちの話である。

出稼ぎするほかには生きていけない、ひもじさを癒せない人びとに対して、明治政府は何の力にもならなかった。そして大正、昭和と続く戦争はそんな女たちの出稼ぎ先を拡げ、「おなごの仕事」をより過酷なものにしていった。そこには日本の植民地政策で連れ出された、台湾や、朝鮮の同様の境涯の女たちがいた。著者の筆はそのことにも触れている。

本書の「おヨシと日の丸」は『ドキュメント日本人5　棄民』（学芸書林　一九六九年）に収録されている。一人のからゆきさんの生涯とその死を描いて衝撃的である。（U）

『苦海浄土』石牟礼道子

全三部完結　藤原書店　2016

『苦海浄土』は、谷川雁主宰の雑誌『サークル村』の、一九六〇年一月号に「奇病（水俣湾漁民のルポルタージュ）」として書き出された。森崎和江の『まっくら』の連載が始まった半年後のことである。その後『現代の記録』や『熊本風土記』などの雑誌に発表の場所を求めて書き継がれ、『苦海浄土』（六九年、講談社）、『天の魚　続苦海浄土』（七四年、筑摩書房）として刊行された。

その後『天の魚　続苦海浄土』を第三部として改稿。第二部の「神々の村」は井上光晴主宰の『辺境』に七〇年から八九年まで雑誌の興亡と時を同じくして書き継がれ、同誌の終刊によって未完のままになっていた。これに最終章の「実る子」を書き加え、『石牟礼道子全集　不知火』（二〇〇四年、藤原書店）がまとめられた。四〇年ほどかかっている。

第一部が運動以前の無垢のなかで、第三部は運動の頂点の輝きの中で書かれたが、第二部は運動が分裂と混乱に陥った時期に書かれている。

第一部第四章「天の魚」の〈海石〉の冒頭で、「少年とわたくしの心は充分通いあっていた」と石牟礼は書く。少年とは、水俣病で一〇年を病み、誰にも心を開かない、一六歳の江津野杢太郎である。少年の父親と姉は水俣病で死亡、母親はこの家を捨てて逃げ出した。今は祖父母が少年の面倒をみている。爺様は毎晩、杢太郎を膝に抱えて焼酎を飲む。杢太郎の母親も、事情があって、数えれば育てきれない九人の子を産んでいる。出て行った嫁の苦労の過去を「もぞかい」と爺様は語るのである。

この作品のなかでも異例に長い杢太郎の爺様の語りは、この嫁が九人の子を産んだいきさつから、家を出るに至った話、近くの身を売られる娘に、自分の身体を自分で売るすべを教える話、そして本物の昔話の変形「ふゆじどん」の話まで、とどまるところを知らない。

石牟礼はこの作品を、聞き書きではないと最初から言っている。確かにここに出てくる水俣病の患者やその家族は、直接、石牟礼にこれを語ってはいない。患者たちは言葉を発することすらできない。石牟礼はその人たちの家を「あねさん」と呼ばれてたずねている。そして、もし彼らが口がきけたら、こうも言っただろうと思われる言葉をつづっている。それは石牟礼でなければ書けない言葉だ。「彼らが言いたいことが私にはわかる」と石牟礼は言う。彼らが憑依（ひょうい）したような石牟礼の言葉は、石牟礼が長く水俣病の悲惨を目にしてきたからこそ書けたものだ。『苦海浄土』は石牟礼の一人語りに、病状報告書や紛争調停案などのたくさんの資料があとづけとなって生まれた。

最近（二〇二二年一月）、石牟礼が仲間たちと発行した雑誌「現代の記録」の創刊号（一九六三年）につけた鶴見俊輔あての書簡が発見された。それには「水俣病など中心にすえて疎外の底部へ降りたいと思っております。素人の状況参加への可能性を追究してゆきたい」と雑誌を創刊した当時の石牟礼の思いがつづられている。（残念ながらこの雑誌は資金難で創刊号のみで終わった。）

二〇一一年、池澤夏樹の個人編集する「世界文学全集」（河出書房新社）に、日本の文学としてただ一作選ばれている。（U）

森崎和江と石牟礼道子を読む

生方孝子

森崎は『まっくら』の付録「聞き書きの記憶の中を流れるもの」のなかで、〈まだ聞き書きという言葉も耳にしたことはなく、ただ一途に自分の寂寞（せきばく）に押されて、母国の母世代祖母世代の心と生活の根っこにふれようと〉炭坑で働いた女たちをたずねたと言っている。それというのも森崎は植民地朝鮮で生まれ、育ち、日本の事情に疎（うと）く、ここで生きる人びとの生まの声が聞きたいと思ったからだった。学問や文学のための聞き取りではなかった。だから〈相手の思いの核心に耳をすます〉、こちらの予定テーマはもたなかった。

女坑夫からの聞き書き『まっくら』はそのようにして生まれた。

石牟礼は「祈るべき天と思へど天の病む―『苦海浄土』来しかた行く末」（『潮』一九七三年一二月号）の上野英信との対談のなかで、「方法論としての聞き書きを森崎和江さんや上野さんの文体からずいぶん学びまして、患者さんに語らせる形、『聞き書きという形のフィクション』という方法論の方から、逆に事実のデテールを照らし出してみる方法をとりました」と述べている。

①　トマを帆柱にゆわえつけて屋根にして、畳一枚敷いての。畳一枚で五、六人の世帯ばするとじゃけのう。石炭の上にゴザ敷いて坐りよったが、ごはんのときは畳一枚の上に五、六人坐るとじゃ。女房子どももおるとじゃけ。子どもは石炭のうえが遊び場たい。若松さへくだるときは、米一俵積んでいきよったよ。そげん食うけんのう。漬物やら野菜やら魚やら、なんでん舟は持っとる。遠賀川の水は、そのころはほんにきれいかもんじゃった。（『まっくら』）

②　海の上はほんによかった。じいちゃんが艫櫓ば漕いで、うちが脇櫓ば漕いで。いまごろはいつもイカ籠やタコ壺やら揚げに行きよった。ボラもなあ、あやつ、たちもあの魚どもも、タコどももぞか（可愛い）とばい。四月から一〇月にかけて、シシ島の沖は凪でなあ――。（『苦海浄土』）

③　いくらに値をつけられてゆくかわしゃ知らんが、一度値をつけられて、売られて行ったその先では、魂を入れて、年期をつとめあげようぞ。そしてこの、年期ちゅうもんだけは、親にも判人にも、行った先の親方にも、よくよくたしかめて、覚えておこうぞ。そして年期が、やがてもうすぐ、来るわいちゅうときは、二度と判人の手にかからぬうちに、自分で自

分を売る先を見つけようぞ。（『苦海浄土』）

①は『まっくら』（森崎和江）の「無音の洞」で遠賀川を下り、炭を運ぶ舟の様子である。

②は『苦海浄土』（石牟礼道子）の不知火海で漁をする夫婦の描写である。

よく似ている。

③は、『苦海浄土』で水俣病を病む杢太郎少年の祖母が「からゆき」となる近くの娘に語る言葉である。森崎の『からゆきさん』の上梓前だが、時代も違い、この場面での唐突感は否めない。

石牟礼は『苦海浄土』を聞き書きではないと言っている。確かにここに出てくる水俣病の患者やその家族は、直接、石牟礼にこれを語ってはいない。患者たちは言葉を発することすらできない。石牟礼はその人たちの家を「あねさん」と呼ばれてたずねている。そして、もし彼らが口がきけたらこうも言ったろうと思われる言葉をつづっている。それは石牟礼でなければ書けない言葉だ。「彼らが言いたいことが私にはわかる」と石牟礼は言う。患者に代わって、まるで憑依されたように語るのは石牟礼なのだ。

石牟礼は一九七〇年、飯沢匡との対談（『週刊朝日』の「差別に苦しむ水俣病患者」）の中で、「初めて患者さんの家へ参りましたときは、ほんとにびっくりしました。ベッドからころげ落ちて、痙攣(けいれん)しまして、〝犬吠(いぬぼ)え様の叫び〟と医学用語で言うそうですけれども、おめいておりますし、こちらの身がすくんで、蹌踉(そうろう)として帰ってくる。そういうことのくり返しでございました。――そういうことをしているうちに、家族の人が顔をおぼえてくれて、『どこのあねさんか知らんが、またきなさった』ということになって、だんだん話が聞けるようになりました」と語っている。

この作品を石牟礼は私にとっての浄瑠璃(じょうるり)と言っている。とよこちゃんと桜の話や、江津野杢太郎少年の爺様の語りなどは、語り手の思いのままに、少しずつ形を変えて何回も登場する。なるほど日本の「能」には、死者がよみがえって現世への尽きぬ思いを語るものが多い。石牟礼の書いた能「不知火(しらぬひ)」(二〇〇二年)は、チッソに汚染される前の不知火海の美しかったことを、今は現世に亡いものが、己の死にきれぬ思いとともに、ひとしきり語って去っていくという話である。

第3章　オーラル・ヒストリーの歩み

〈執筆担当〉
（O）折井美耶子
（M）宮崎　黎子
（U）生方　孝子

Ⅰ　沈黙の地帯から〈1958～〉

春の半ばを過ぎてやっと芽を出すいたどりのように……

『民話を生む人々』山代巴（やましろともえ）

『日本の底辺　山陰農村婦人の生活』溝上泰子

未來社　1958

のちに『人類生活者・溝上泰子著作集』全一五巻　同刊行会　影書房　一九八六～八九年刊。島根県の山村に生きる二三歳から七五歳の九人の女性たちの記録。著者は島根大学教育学部教授。「沈黙の地帯から掘り当てた貴重な宝物」という。

もくじは、「世間並み」を破ろうとする世代　刈田とし子（二三歳）、ゆたかな知恵と生活で農家経営　森脇道子（三四歳）、二段八畝と炭焼きぐらし　田中民子（三〇歳）、蟻のごとく家庭生活を変革する主婦　橋本庄子（三四歳）、大家族を切り盛りする嫁の才覚　井上芳子（三九歳）、貧苦とリューマチの二重苦を生き抜く　菅谷雛子（四五歳）、〃米つくり米の値段は人が決め〃と川柳を糧に　笹本英子（五〇歳）、夢を追いつつ現実の波を切り抜ける母　津村かよ（六二歳）、「夫を返せ」と一揆（いっき）をくぐってきた農夫　小谷ヤス（七五歳）。

これらの九人は、境遇も、年齢もちがうが、農家の主婦や娘として、家の経済のこと、家中の悩みなど問題山積の中で、前向きに生きている。

例えば最高齢の小谷ヤスは、農家の一人娘として生まれ、母は三歳のときに離縁されて実家に帰り、まもなく亡くなり、父も九歳のときに亡くなる。以来祖母に育てられ、一一歳から口減らしのため子守に、朝は三時から山へ草刈に、夜は一二時過ぎまで眠りながら縄をなった。

むろん学校に行ったことはない。二一歳で婿養子を取り、がむしゃらに働いて二丁歩の小作をする。三男一女をもうけるが、三人の男の子を戦争に取られ、長男が戦死、続いて夫もなくなった。小作争議のときは警察に夫の釈放を要求して、おかかたちで詰めかけた。「かなわんとなったら、女は団結しますでね。」

「農村にはヤス媼のように目に一丁字もない人で、心の深い人がいる」。著者の本当の願いは、このような人びとを掘り起こすこととその発見である。「それは一人ではできない。みんなでつながってこそできることである。明るい明日を信じて、みんなで手を取り合って、この仕事を進めたい」「そして、みんなで山陰の地下水の毛細管の一端になりたい」ということである。

島根県全体を研究室にしようと決めたのは、農村育ちの黙々と生きる自身の母を見てきたからである。まるで憑かれた人のように、暗い一番列車でこれらのお母さんたちのところへ通った。そうして出会った人に、毎日毎日二、三枚の手紙を書いた。むろん返事が返ってくるのは少ない。それでもみんなが喜んでいると、身勝手な好意の押し売りをやっている。「どんなに、日常のささやかなことでも、私はこう考えるとか、思うとか書いてください。お互いの幸福をお互いの手で作り上げましょうね」。突然これを言われて答えられる人がいるだろうか。どこに幸福を作り上げられるのか、解せないと思う。聞き手の話の飛躍についていけないと思う。著者の生真面目さが救いだったのかもしれない。六一年『生活者の思想——続日本の底辺』刊。

前出の著作集の五巻に「島根の三八人の底辺」として収録されている。（U）

『民話を生む人々——広島の村に働く女たち』山代巴

岩波新書　1958

戦後、新生活運動や、生活改善などが言われ、農村にもグループつくりが奨励された。けれど、戦争中に率先して軍に協力した人たちが婦人会の幹部になっていたり、生活改良普及員が表彰状のために奔走し、大工場の労務課の組織する主婦のグループ活動が盛んであったりして、本当に問題のある人たちの言いたい言葉はすっかり封じられていた。

新しい憲法ができても、人権や結婚の自由など、農村では、あってなきが如しである。

いろいろな集会が開かれても、出てこられるのは、村で一番出やすい家の人たちだけで、その人びとですら、「大集会へ出ていくと、世の中も代わり、母親も強くなったとようようで、こうしてはいられないと思うのだけれど、さて家へ帰ると、どうしていいやらわからない。真っ赤になった炭火が、冷たい灰の上に落ちたように、たちまちもとの炭にかえってしまう」という。

「ではどうして灰を温めたらいいのでしょう。それよりどの集会にも出ていけない忙しい人たちと、どう手を結んだらいいのでしょう。」

それに気づいた著者は、こっそりと人のいないところで語られた農家の嫁の話や、妻の話を、集まりの中で「どこの誰の話とは知れないが」と、話していく。そこで聞いた話はまだ民話に

もまとまらないが、

「たとえてみれば春の半ばを過ぎてやっと芽を出す虎杖のように、この人々は人の後からついて歩く人たちで、その知性も虎杖の花のように小粒で目立たないのかもしれません。けれど私はこれから、この人々と一緒に今まで一二年、村を歩いて学んだもの、それをもとにして考えていること、試みようとすること、それらを一緒にしておさらいしてみようと思いました。」

その根底には、終戦の翌年広島県三原の農民組合の書記をしていた頃、尾道の図書館長をしていた中井正一のことばがあった。昔から農村に巣食う〝あきらめ根性、みてくれ根性、ぬけがけ根性〟を戒めるものであった。

そこから「錐蛙」（権力や権威に弱い人間の話）、「山波の先の海坊主」「比婆の女たちの作った話」（酒役人をだました話）、「仁平墓の話」、「山椒魚のとわず語り」、「絞りと絣の布の幟」などの興味深い話を聞き出している。

著者の『荷車の歌』は映画化され、多くの人に共感と感動を呼んだ。けれどあれは戦前の話で終わっている、戦後の問題をとりあげてほしいという声は、著者のもとにも届いていた。その方法を考えて、家事と育児と農作業に明け暮れて、本も読めないような人びとへ届けるために、著者は『柿の木のかげ』という長編紙芝居を作って婦人会を通じて配給した。そして、スライドにしてテープにふきこんだ解説書と一緒に、部落の小グループをまわることになる。

著者は「村で一番忙しい、一番物の言えない人々の中からも、『ああいうことなら私にも作れそうだ』という人々が出てきはしないか、そこまで行かないまでも、物語の主人公にかこつけて、本当のことの言える空気が拡がりはすまいかと、そこにかすかな希望を」持っていたという。（U）

『忘れられた日本人』宮本常一

未來社　1960／岩波文庫　1984

本書に収められた文章は、一九五八年一〇月に創刊の「民話の会」の機関誌『民話』の三号から隔月に「年寄たち」として連載された。

なかでも有名な「土佐源氏」は『日本残酷物語』第一巻（平凡社、一九五九年）「貧しき人々のむれ」に少し継ぎ足してのせている。

宮本は一九三九（昭和一四）年から思いつくままに各地を歩いて、年寄りの話を聞いた。初めは伝承者としての年寄りを描きたいと思っていたのだが、「途中から老人たちが若い時代にどのような環境の中をどのように生きてきたか」を描くようになった。本書に見られるような魅力的な年寄りに宮本が出会った故と思われる。

なかでも多くの人が感銘を受けた「土佐源氏」については宮本の創作ではないかという話まで出ている。あとを訪ねた人がいて、この老人は、乞食ではなく馬喰（ばくろう）で、水車小屋に住んでいたという。

語りのままに記述されたという文章は整然としている。しかし聞き書きが聞き手の文章化によって世に出るとき、そこに整理が入るのは当然のことで、でなければ、「あの、その、それで」まじりの、行ったり来たりの読みにくいものになってしまう。

初めて「土佐源氏」を読んだ時の衝撃は今でもありありと思いだす。わたしが読んだのは「土佐檮原（ゆずはら）の乞食」で、『日本残酷物語』の第一巻『貧しき人々のむれ』のなかのものである。「土佐源氏」は全編一人の乞食の語りになっている。『忘れられた日本人』の中には魅力的な年寄りの語りが登場するが、全編語りになっているのは「土佐源氏」だけである。それはこれまでどこからも取り上げられることがなかった、最底辺の男の話である。しかもその乞食は、生きることとの真実を彼の経験を通して語っている。

ほとんど嘘のような話である。創作かと思われるのも無理はない。宮本はその聞き書きのノートを見せて、実際に出会った話であることを証明したそうだ。きわめて幸運な出会いであった。それをこのような形ですくい上げた宮本の柔らかな感性と、民衆に寄せる信頼が相まって、最底辺で生きる乞食の話が清らかな純愛物語となり、香気あふれる珠玉の短編になって、分野を超えて読み継がれている。坂本長利のように一人芝居として、全国を回っている人もいる。

実際に歩いて聞いたものでなければ、このような話を発掘することは不可能であっただろう。そこに底辺で生きる民衆の底力のようなものを感じ、「貧しく、虐げられていた」民衆像を覆される。今は盲目となって橋の下に暮らす乞食の人生が一筋の光を放って示され、一生のほとんどを「女をかまうことで生きてきた」乞食の人生の真実を見せてくれるからである。（U）

『『忘れられた日本人』を読む』網野善彦　岩波書店　二〇〇三

Ⅱ　あの人は帰ってこなかった〈1964〜〉

国のために立派に命を捧げた家族の名誉を傷つけねェように、
その名誉さ恥じねェ暮しをするように
『あの人は帰ってこなかった』菊池敬一・大牟羅良編

『あの人は帰ってこなかった』菊池敬一・大牟羅良編

岩波新書　1964

「まえがき」の冒頭に「〝祝　出征〟の幟（のぼ）りを先頭に、長い行列に送られて村道を消え去って行った夫、その夫はふたたびは帰ってこなかった。本書はその夫を失った妻――戦争未亡人たち――の生きてきた道の記録です」と書いてある。

「第一部　勲章の裏に刻む」は、岩手県和賀郡の全戸数九三戸という農村の「戦争未亡人」九人（その子どもたちの声）からの聞き書きである。この小さな村は一二五人もの出征兵士を出し、三二人が戦死し、一一人の「戦争未亡人」が生まれたという。

「あの人と一緒に暮したのは、たった五か月だった」が「もう腹さ子供入って二か月になっていたったモ」という小原ミチ。やがて娘トミが生まれたが、力仕事ばかりを必要とする炭焼きが家業で、舅とともに男のように働き、夫の帰りを待った。しかし夫はニューギニアで戦病死。「その晩は、一晩中寝ないで泣いたったマス。神様も仏様も有るもんでねェと思ったナス」。そして「未亡人になったとなれば、世間の人達まるっきり勝手なことというもんだナス」「他所さ日手間取りに行って遅く帰って来ると、『戦死者の妻のくせに夜遅くだらしねェ』って」言う。「未亡人になった人、オレばかりでなく話し合ってみるとみんな同じ苦労しているようだナッス」「それでも、この娘一人前にするまでなんとしたってオレがまんし通さなければならねェ」と頑張って暮らしたのだった。

戦後のある日、役場の人が「戦死者の家」という立派な標札をもってきて入口につけた。そして「遺族の人達は、国のために立派に命を捧げた家族の名誉を傷つけねェように、その名誉さ恥じねェ暮しをするように」といった。「なんとほんに馬鹿くせェ暮しだじェな」とミチは思うのだった。

ほかの八人も多かれ少なかれ同じような体験をしなければならなかった。「寝床さ鎌入れて寝てるんだからナッス。おっかねェ女なんだっちゃ」と言われた菊池マサノ。夫の戦死後一二年間婚家で苦労したのち、遺児を連れて実家に帰り分家した。小原こめは、夫が戦死して「オレ骨もらっても、あの骨土さ埋める気にはとてもなれなかったもャ。いつまで枕元さおいた寝だったモ。そして、お前ェ一言でええ、なんとか言ってけろ」と心の中で言いながら寝たという。

岩手の農村地帯では、当時女性の結婚年齢は二〇歳前後だった。そのため「戦争未亡人」にさせられた年齢は二〇代前半、そのときから、子どもとの生活のための苦闘が始まり、この聞き書きに応じた一九六〇年代初頭は、まだ四〇代になったばかりの年頃だった。

「第二部　叫ばずに来た二十年」は、第一部を承けての編者たちの思いである。岩手では戦前から「生活つづり方運動」と「医療社会化運動」が行なわれていたこと、その二つが底流にあり、「身近な人びとの戦争体験を掘り起こすことで、正しい戦争への認識、戦争への反省を深めよう」と運動が始まったという。それが『戦没農民兵士の手紙』（岩波新書）となり、遺族の声を記録にとどめるこの本となったと書かれている。

この聞き書きから六〇年、戦後八〇年近くなってふたたび「戦争をする国」へ動き出そうとしている日本。今こそこの本が読まれなければならないと思う。（O）

『戦没農民兵士の手紙』岩手県農村文化懇談会編　岩波新書　一九六一

『石ころに語る母たち　農村婦人の戦争体験』小原徳志編　未來社　一九六四

『戦場の村——ベトナム　戦争と民衆』本多勝一

朝日新聞社　1968

一九六六年から六七年の六月にかけて取材、『朝日新聞』にルポルタージュ「戦争と民衆」として連載。その中で最も反響が大きかった第五部の「戦場の村」を、単行本として刊行したもの。

最初の三か月はサイゴンに住む一般の人びと、農村の生活、病院で戦争犠牲者を取材。いわゆる「無差別テロ」は米軍側からも南ベトナム解放民族戦線からもなされ、「どっちもどっち」という論調が大勢を占めていた。筆者は取材から、戦闘中でなく、村民の平穏な日常に突然発砲、爆撃するのは、圧倒的に米軍側であること、犠牲者の多くは子どもや女性であることを知る。

その後最前線の戦場、米軍の大隊基地に入り、兵士とともにヘリコプターで前線に。いきなり北ベトナム軍＋解放民族戦線軍との戦闘を体験することに。想像を超える大きな戦闘で、一〇〇〇人近い米兵を投入。米軍のいう「ベトコン掃討作戦」である。爆音と硝煙の中、白昼、森で鳴くセミは、戦闘などを断固として無視するごとく鳴き続けた、という記述は、リアルで象徴的でもあった。

巨大な野戦病院を訪れて、取材に応じた四人の負傷米兵から話を聞いている。志願兵は一人。

一八歳。三人は徴兵。いずれも二〇歳、二一歳の若さ。一年の義務期限を終えたら帰国し、大学に入りたいと二人は言う。事実上無償で大学を卒業できる。

この戦争をどう思うかとの質問には、「われわれの政府がやっていることに間違いないと思う。ただ、早く終結してほしい」と。

本国の徴兵拒否運動への感想を求めると「国のためなら、誰だって戦争したい気持ちがなければいけないと思う」「徴兵拒否や脱走など、卑怯なことだ。人間としてクズだと思う」。戦う理由は「自由のために共産主義を阻止するため」。こういう若者を使いすてにするのは、いつの世も、どこの政府も同様だと思う。

米軍や南ベトナム政府軍の情報は多かったが、それだけでは、真相の報道はできないと、筆者は当初からその方法を探り、実行した。はじめ一週間の予定が一か月になり、行方不明とみなされたりもした。

解放民族戦線の兵士の死についても多くふれられている。頭から大量の出血をして、息絶える者、腹を裂かれて内臓が見える遺体。それらに対応する米兵は、おおむね黒人兵のほうが同情的であることも筆者はみている。解放民族戦線の兵士の多くも少年兵である。彼らの射すくめるような鋭い眼光。決然たる口元。断固たる、苛烈な空気をまとい、澄んだ目とともに、生涯忘れ難い表情だったという。政府軍の兵士にはこういう表情はなかったとも。

ベトナム戦争で解放民族戦線と対決する主要な勢力は、米軍・ベトナム政府軍・韓国軍の三者であるが、サイゴンで聞く韓国軍の評判は極度に悪い。一方、米兵は人影をみるやいなや弾雨を注ぎ込む。恐怖におびえている証拠であるが、これによって、一般農民が無差別に殺されることなど眼中にない証拠でもある。

ひるがえって日本は、ベトナムに派兵こそしないが、韓国以上に関わりを持っているという。軍用トラック、武器・弾薬を運搬する船舶等々、まさに「死の商人」であると。

新聞連載当時から評判を呼んだのもうなずける。今、読んでも迫力・説得力がある。（M）

『新版　あゝ野麦峠——ある製糸工女哀史』山本茂美

朝日新聞社　第1刷　1968／新版第1刷　1972

四年間で三五刷をした旧版は紙型が磨滅して新版を出すことになったという。

紙型が磨滅したといっても、わからない人が多いだろう。活版印刷のころには、活字で組んだ印刷物は、硬い紙に圧縮して一頁ずつ保存したもので、増刷のときには、そこにインクを流し込んで印刷する。したがって三五回も増刷していると、紙型が痛んで活字が崩れてくるのだ。新版も私が手にしたものは七六年のもので、一四刷である。それだけ読まれていたということだ。七七年には角川文庫になっている。

「野麦峠を超えた婆様たちは、ほとんど亡くなられてもういません。この本は紙型が磨滅しても、新版に組替えることができますが、——もし、取材時期を逸していたならば、おそらく、この本が世に出ることはなかったでしょう」と著者はまえがきで書いている。

「あゝ飛騨（ひだ）が見える……」と息を引き取った製糸女工みねの言葉は、その後芝居や映画になって、心に焼き付いている。吉永小百合が映画化したいと資金も出したが、途中でダメになったという。その後七九年、山本薩夫監督、大竹しのぶ主演で映画化された。

本書は聞き書きの金字塔ともいえる作品で、その後続々と刊行されることになる女性史の嚆矢（こうし）といってもいいだろう。

飛騨の寒村から、五日をかけて、野麦峠を越えて、諏訪の製糸工場にやってくる一五、六歳の娘たちを待っていたのは、わずかの金銭で、朝五時から夜七時、ときには一〇時までの厳しい労働、しかも糸目と嵩を出来高で計られて、マイナスを出す工女（女工）は借金で年を越すことさえあった。工場内は熱湯と蒸気と騒音、さらにさなぎの悪臭である。

宿舎は四、五人部屋は普通で、一つの布団に二人でくるまって寝た。窓には逃亡防止の鉄柵がはめられていた。食事といえば、薄い味噌汁に漬物だけ、というところも少なくなかった。彼女たちはそれでも、故郷で待つ家族に、少しでも現金を持ち帰りたいと頑張ったのだ。それに途中で逃げ出せば、手付金弁償だけでなく、違約金が、その一〇倍から五〇倍にもなる契約書が結ばれていた。

今回改めて読み直して、本書が周到な準備のもとに書かれていたことに驚く。「ズック靴を何足もダメにするほどの非能率な聞き書き」だけでなく、それを裏付けるものとして、様々な時代考証と当時の統計資料が使われている。そのおかげで、当時の製糸女工の厳しい労働が生み出す生糸が、軍艦になっていく道のりが見えるのだ。同時に、一人ひとりの女工たちの家族や村のありようがわかる。何よりも女工に注がれた著者の優しいまなざしに感動する。

最初に読んだときにはまさに〝女工哀史〟として、女工たちの過酷な労働にばかり目が行っていたが、今回読み返してみると、農業だけでは食えなかった製糸企業家の、暴れ馬のように安定しない糸価による経営難と、アメリカの景気に左右されるやりくりがわかる。やがてそのアメリカとの戦争で倒産、工場はただ同然で軍需工場に没収され、戦争が終わったらナイロンが取って代わっていた。

「今にして思えば工女も哀史であったが、この製糸経営者もまた哀史でなかったはずはない——まるまると太っていたのは、巨大な軍艦だけだった」と著者は結んでいる。近代日本哀史なのだ。（U）

『在日朝鮮女性の半生　身世打鈴』むくげの会編

東都書房　1972

「身世打鈴」（シンセターリョン）とは、「身の上話のことです」と記されている。この本の帯には「あなたのすぐ隣りにいても気づかず、知ろうともせず、目にも耳にも触れなかった在日朝鮮女性の半生。六年の歳月をかけて集めたこの聞き書きは一つの国を呑みこんだ歴史の傷の深さと南北に切り裂かれた民族の悲劇の鮮烈なアングルから日本人への無言の告発となっている」と書かれている。この本を編集した「むくげの会」は、在日朝鮮女性の生活の記録を調べるために集まった。内海愛子をはじめとする、それぞれ違った仕事をもち境遇も異なる六人の女性たちである。粘り強い朝鮮女性を思わせる「むくげの花」から会の名をとった。むくげ（槿）は、無窮花（ムグンファ）で、現在の大韓民国（韓国）の国花である。

ここには出版当時、三八歳から七六歳の女性一二人の聞き書きが収められている。平均年齢は約六〇歳であるが、このときから四〇年以上過ぎた現在、ご健在の方は少ないであろう。居住地は東京七人をはじめとして、北海道、神奈川、三重、広島と広がりがある。聞き書きのあとに、「記録の背景について」として、「日韓併合」の一九一〇年から現在七二年までの歴史的背景と「聞き書きに歩いて」、および「日韓関係年表」「参考文献」「図表　1．在日朝鮮人人口と在朝鮮日本人人口の推移、2．在日朝鮮人の在留地、3．在日韓国人の男女比、朝鮮略図」と編集が行き届いている。

むくげの会が発足したのは、「日韓条約」が締結された一九六五年だったとし、在日朝鮮女性たちは「日本政府は南北統一のじゃまをした」と抗議の声を上げたが、日本のジャーナリズムは「金嬉老（きんきろう）事件」などを取り上げて反日的朝鮮人といったイメージを書きたてたが、「日本人の差別意識の摘発にまではならない」としている。こうした状況は現在も払拭（ふっしょく）されるどころか「ヘイトスピーチ」など一部ではエスカレートしている。むくげの会では「わたしたちが朝鮮問題に対する姿勢をただす手がかりにしたい」とこの聞き書きを始めたという。

「『身世打鈴』という朝鮮語は自分の不幸な身の上話をうたうように語ることをいう。過去の『身世打鈴』は不幸なわが身をかこつ、かきくどくような嘆き節だったかもしれない。しかし、わたしたちの聞いた『身世打鈴』は、さまざまな音色ながら、みなつよく清冽（せいれつ）なひびきをもつ朝鮮の鈴の音だった。それぞれが、わたしにはこれしか生きようがなかったのだと極限の生きかたをつきつけてきた。その生きかたのすさまじさ、たくましさに、わたしたちはいったんはたじろぐが、別れて帰るときには大きな勇気と慰めをいただいてきた」としている。

本書は、最も早い在日朝鮮人からの聞き書きだが、今もなおその輝きは失せていない。（O）

『在日コリアン女性20人の軌跡』かわさきのハルモニ・ハラボジと結ぶ2000人ネットワーク　生活史聞き書き編集委員会編　明石書店　二〇〇九

『サンダカン八番娼館――底辺女性史序章』山崎朋子
筑摩書房　１９７２

衝撃力の大きな書である。「からゆきさんと呼ばれる海外に出た日本人売春婦についての研究とも紀行ともつかない書物」と著者自らが語るように、紀行のような記述と、聞き書きとその分析、さらに日本の時代背景と歴史に対する論述がないまぜになっているが、それらが作用しあって説得力を増し、読者をどんどんその世界に引きこんでいく。謎が解けていくさまはミステリー作品のようにスリリングである。

なんといっても、サキさんという老いたからゆきさんと著者の偶然のめぐり逢いが、決定的な契機となっているが、その偶然を生み出したのは、著者の執念と周到な事前準備があったからといえる。

「〈からゆきさん〉はかつて天草や島原の村々から売られて行った海外売春婦たちが階級と性という二重の桎梏（しっこく）のもとに長く虐（しいた）げられてきた日本女性の苦しみの集中的表現であり、ことばを換えれば、彼女らが日本における女性存在の〈原点〉をなしている――と信ずるからである」と著者はその動機を述べている。自身が青春期に女性ゆえの生き難さを骨身にしみて味わい、その痛恨の思いからアジアをはじめ、底辺の女性史を志したという言葉は重い。

この書の魅力はサキさんの語りにある。「私は爪の先ほども嘘はいわん」というサキさんの率直な語りは、まさにオーラル・ヒストリーである。以前読んだとき、三週間寝食をともにしたとはいえ、その話を本にするのはアンフェアなのではないかという疑念が残っていた。語り手と聞き手に対等な関係があったのだろうかと。だが、今回読み直して、その疑念は消えた。著者は、サキさんはじめ、天草の人びとに迷惑が及ぶのではないかと恐れ、また、まとめたものが、からゆきさんの本当の声をつかむことができたか悩んだ末、四年間の沈黙を破り、サキさんが引っ越しをしたことなどもあり、体力的に弱っていくサキさんに、早く本を贈りたいという思いから、出版に踏み切ったということを知り、著者が誠実に対象者に向き合い、信頼関係を築いていることがわかった。

サキさんも「ほかの者ならどうかしらんが、おまえが書くとならなんもかまわんと。本当のこと書くとなら、誰にも遠慮することはなか。うちは、この半月あまりのあいだ、おまえを、ほんとうにうちの嫁ごじゃと思うとった」と語って、著者が書くことを了承している。

サキさんと著者の出会いも、劇的であるが、別れの場面がまた、サキさんの人間性の豊かさ、温かさを表現しきっており、読む者に感動を与えずにはおかない。

「サキさんは、わたしが何者で、何を目的としてやって来たか知らずに泊めてくれたのではなくて、一切を承知していながら、なおかつわたしを受け容れてくれていたのだ。天草の人びとのもっとも知られたくない秘密をつかみに来た女と知りながら、敢(あ)えてわたしに力を貸してくれたのだ。」

そして、なぜ身の上について訊かなかったのかとの問いに「人にはその人その人の都合ちゅうもんがある。話して良かことなら、わざわざ訊かんでも自分から話しとるじゃろうし、当人が話さんのは、話せんわけがあるからじゃ。おまえが何も話さんものを、どうして、他人のうちが訊いてよかもんかね。」

畳が腐りきって百足（むかで）の巣になっている崩壊寸前のあばら家で、麦飯と屑（くず）じゃがいもの塩煮を食べ、捨て猫、迷い猫、九匹を「命あるもんじゃけえ」と育てているサキさん。一〇歳でサンダカンに渡り、一三歳から「娼売」。後には満州・奉天にまで出かけ、結婚。一男を得、その仕送り四〇〇〇円で暮らす老女に、聖人の面影を見る。不思議な感動をよびさまされる書である。（M）

『妻たちの二・二六事件――遺されたものの三五年』澤地久枝

中央公論社　１９７２

一九三六年二月二六日に事件は起こった。大雪の朝、陸軍の青年将校たちが一四八三人の下士官兵を率いて起こしたクーデター未遂事件である。青年将校たちによる、主観的には天皇と国家と民のための挙兵であったが、誰よりも天皇の憤激を買い、天皇の名によって裁かれ、叛乱罪で死刑の断が下った事件である。

七一年、二・二六事件から三五年たった夏、銃殺刑に処せられた一九人、自決者二人の菩提を弔う法要が麻布賢崇寺で行なわれていた。事件の翌年から毎年遺族が集まって法要を行なっている。

青年将校たちの目指した「昭和維新」は、軍ファシズムへ変形・屈折して受け継がれ、戦争への道を開いた。二・二六事件は昭和史の不幸な岐れ道に位置している。天皇制下の日本では逆賊であり、敗戦後の日本では、ファシズム軍国主義への決定的な転換点に位置する事件として、否定的な評価のもとにある。この事件を裁いた東京陸軍軍法会議は、戒厳令下、非公開の暗黒裁判であり、事件後四日間の不可解な経緯は、天皇の叛乱鎮圧への強固な意志に巧みに隠ぺいされた。

澤地をとらえたのは、刑死者たちの怨念、天皇制の内側にいながら、天皇制そのものの否定にまで上り詰めていった男たちの執念のすさまじさであり、死者の雄弁とは対蹠（たいしょ）的な妻たちの沈黙であった。その沈黙は、昭和の女が通ってきた棘（いばら）の道の一つの縮図ではないかと澤地はいう。

天皇神聖不可侵の時代に叛徒の妻となった一四人の女性が、どんな人生を辿（たど）ったのか。夫たちは二者択一を迫られて、事件への参加を選択した瞬間、妻子を捨てた。夫は獄中の遺書に「今回の事件を世に誇り得る時機が来たならば……」と書き残した。だが、そんな日は一日も来はしなかった。夫に置き去りにされた妻の痛み、嘆き、憤り。しかし、妻たちは耐え、沈黙するしかなかった。

粘り強く行脚を重ね、丁寧な聞き取りから、妻たちのそれぞれの人生と個性が各章におのずと滲（にじ）んでくる。ほとんどが二〇代で寡婦となり、その後の人生は、子どもを持っている人のなかでも、婚家に子どもをおくことになった人、自ら育てた人など、様々である。洋裁、保育士など訓練を受けて、職業についた人も多い。再婚した人、しなかった人、それぞれ共感をもって、書かれている。

丹生誠忠中尉の妻、寸美奈子はいう。「再婚話はありましたが、死んだ夫があまりいい人だったので、そんな気になれませんでした。いろいろ不幸な結婚をみてまいりました。長い結婚生活で不幸な人生を送っている女性の多いことを思えば、私はこれでよかったのだと、この頃では思えるようになりました。」

田中勝中尉の妻、久子は夫の処刑から三か月後に男児を出産した。二年待って、久子は教員養成所に一年通い、正式教諭の資格を得た。定年まで幼稚園に勤め、その後懇望されて、私立幼稚園の園長となった。淡々とした筆致の中に、久子の清々(すがすが)しい生き方が伝わってくる。

最終章は水上源一の妻、初子のその後が語られている。一女を兄夫婦に預け、東京でタイプと速記の学校に通い、仕事を始めた。後、満州へ渡り、警務庁に職を得る。学齢になった娘を引き取ったが、なつかず、再び兄夫婦のもとへ返す。その娘も結婚し、三人の子の母となった。今は、北海道で再婚した男性と共に大養鶏場を経営。水上の死後、仏壇を求め、常に同道した初子は、自分の力で生活を築いて、死者をも生者をも尊重するぎりぎりの知恵が、生活の形を選ばせている。二・二六事件の残影の中にありながら、新しい人生を生きた一つの姿がここにある、と澤地は語る。そして、ここに長い間求め続けてきた答えを見つけ出したように思えたと結んでいる。

一三章からなるこの書のうちの一章が「西田はつ聴き書き」として、収められている。語り口を活かした一章なのだが、理路整然としていて、これまでの「聞き書き」とは一線を画している。西田はつは、北一輝とともに青年将校たちの思想に影響を与えた西田税(みつぎ)の妻である。

（M）

Ⅲ　ひたむきの女たち〈1975～〉

貞女・孝女は国家権力によってつくられた。
『ふるさとの女たち』古庄ゆき子

『ふるさとの女たち——大分近代女性史序説』古庄ゆき子

ドメス出版　1975

「どこまでいっても貞女・孝女・愛国婦人にしか行き逢(あ)わぬ、景山英子も伊藤野枝も与謝野晶子も平塚らいてうも宮本百合子もいない土気色の痩枯(やせが)れた風景です」……と著者は書き起こす。そして、「いいえ、わたしはこんな偉い女たちが大分の地にいないとなげいているわけではありません。至極あたり前の女があたり前に人間らしく育つことさえ困難な、この農村県の酸性のつよい土壌には、かねがね歯ぎしりする思いをさせられていますので、そのことでいまさら驚いたり、悲しんだりはしません。貞女・孝女・善行婦女・愛国婦人たちにびっしり埋めつくされたこの荒寥(こうりょう)とした風景に改めて愕然(がくぜん)となっているだけなのです」と続けます。

県立図書館郷土資料室に通い、「どうしてこうも孝女・貞女ばかりを集めているのか。まるで他に違った生きざまをした女たちがいなかったと思いこませるように出来ているのではないか」と疑いがわきます。そこでわかったことは、貞女・孝女は「お上」が人民の思考や生活実態を利用しながら、人民支配のためにつくり出した虚像であること。だから虚像でありながら、深く人民の心を掌握できるものであったこと、貞女・孝女は国家権力によって製造された、すぐれて政治的産物だということを見抜きます。

著者は痛烈な皮肉をこめて、「賢明にもこの国の支配者は、日本人の標本を社会の最底辺からすくいあげました。それによって彼女たちははじめて〝日の目〟をみたのでした。だから日々の生活からおよそ人間らしい内容を奪われ、重ねてその生活を奪った張本人たちから、表彰されたとき、ことばによる強姦をうけているのに、彼女たちはそれを恵み深い手に感じるのです」と喝破します。「人間を表彰する、人間にご褒美を与える、何と傲慢な行為であることか。それをするのは常に国家であり、その背後には日本国天皇がおわします。これが敗戦までの構図でした。そして今も本質的にどれほどの変わりがあるでしょう。世界的頭脳、知性、権威が政治の闘士が、そしてあろうことか革新を名乗る政党の大物や、労働運動の大立者までが、赤子のようにあの人の前に恐懼の涙を流す。何と無慚な図でしょう」と。

高度経済成長期、資本が安い労働力を求めて村や町へ侵入し、女たちを狩りだした。毎朝マイクロバスに積み込まれて、臨海工業地帯など労働現場に出かける。このむき出しの収奪、遅れてきた近代に、村の女たちは過酷な体験の中で出会っている。家の解体は進み、村の婦人会はなし崩し的に崩壊しつつある。だが、女たちはそれに気づいていない。この混沌からどのような明日が開かれるのか、著者は未来を見つめている。

昔も今も過酷な人生を引き受けている女性たちの中でも、とりわけ辛酸をなめた在日朝鮮女性へのオーラル・ヒストリーのひとつは、鄭オモニ（六七歳）のはなし。大正初年かぞえ歳九歳のとき、募集人に連れられて日本に来て、富士瓦斯紡績の女工となる経過、なってからの生活を聞き取る。オモニは悲しいとか、寂しいとかいう抒情的表現のいっさいをうけつけず、

「食うものがあればと思った」といい、「しかたがなかった」という。過酷な人生を受け入れる鄭オモニに寄り添う著者の目は温かい。

さらに「オモニのうた」という一章がある。八〇歳だという在日朝鮮人のオモニの口伝を、著者が日本における生活の文学的証言として、まとめたものである。二〇代前半に日本に来たというオモニは、豊かな感情の持ち主で、溢れだす思いを日本語で表現できずに、ついに朝鮮語で話し出す。通訳を介しつつ、著者はオモニの表情から彼女の心を聞こうと努める以外になかったという。彼女の中では、時間や人物や、場所が、一つのドラマのように、生活の中でつながり合って完結していくものになっている。それを著者は文学的証言といっているが、部分的信憑性よりも全体的真実性を重視するという、オーラル・ヒストリーのあり方の一つの提起となっている。（M）

『聞書　ひたむきの女たち　無産運動のかげに』牧瀬菊枝

朝日選書　1976

牧瀬は「あとがき」で、戦前「弾圧のために若い命を捨てた女の人は数え切れない。……そのような犠牲者の記録は今となっては編むすべもない。からくも生き残った女の人たちは、過去の過酷な歴史のなかで果たした役割については沈黙したまま年老いて、ひっそりと生きている。正史には決して登場しないそのような人たちの足あとをささやかながら記録に残しておきたい」と書き、二〇年にわたって集めた一〇人の女性の聞き書を編んだ。牧瀬はこの時すでに戦前の女性活動家、九津見房子（くつみふさこ）や田中ウタの聞き書を発表しており、先駆的な業績をオーラル・ヒストリーに残した人である。

橋浦はるこ―初めて女性が参加した一九二一年の第二回メーデーで逮捕され、その写真が新聞に載り有名となったが、その後は独立自尊を貫き紆余曲折（うよきょくせつ）の人生をおくった。

島野（矢部）初子―二三年、第一回国際女性デーで開会の挨拶を述べた。結婚後は夫の家である館山の寺で幼稚園や英語学院を経営、農漁村の女性や子どものために尽くした。

梅津（中平）はぎ子―二五年、富士瓦斯紡績のストライキで活躍し解雇される。梅津四郎と結婚。東京で非合法活動中にいくども検挙される。戦後は地域で愛されて活動を続けた。

松井菊子（仮名）―仙台で活動を始めたが上京。非合法活動の中で「赤色リンチ事件」に巻き込まれる。同志だった夫は戦後ほかの女性と結婚。松井は運動から一切身を引く。

高橋ヨキ―東京市営バスの車掌になり婦人部長として活躍したが、三・一五で検挙され解雇。再び非合法活動で検挙され実刑。出獄後は故郷新潟に帰り葛塚無産者医療同盟で働いた。

重井しげ子―二二年、岡山でおこった藤田組農場争議で婦人部を結成し活躍。争議敗北後、夫鹿二と北海道で農民組合つくりに献身。倉敷に帰り、倉敷絹織の争議も応援した。

吉田フサ―看護婦や産婆をして夫を勉強させ国鉄に勤務させたが「群馬共産党事件」で解雇される。その後夫は農民運動、水平社運動に参加。フサも関東婦人同盟や非合法活動に参加。

志多伯（大嶺）静子―三一年、「沖縄教育労働者組合（オイル）事件」でレポーターとして働き検挙。出獄後は上京。戦後、新宿で沖縄料理の店「琉球」のち「守礼の門」を開く。

立花キミエ―朝鮮人全虎岩を愛し、親の反対を押し切って結婚。農民運動のために働く夫を助け、差別の目の中でひたむきに生きた。

井上里雨―夫とともに、戦前、戦後を通じ一貫して、国際革命運動犠牲者救援会（モップル）の活動に献身。

戦前の活動は、現在では想像も出来ないくらいの厳しさだった。

そのなかで女性たちは、平和を願い差別と闘い、名利を求めず献身的に働いた。その人生は

歴史の中の貴重な一齣(ひとこま)である。(O)

『九津見房子の暦　明治社会主義からゾルゲ事件へ』牧瀬菊枝編　思想の科学社　一九七五

『田中ウタ　ある無名戦士の墓標』牧瀬菊枝編　未來社　一九七五

『丹野セツ　革命運動に生きる』山代巴・牧瀬菊枝編　勁草書房　一九六九

『橋浦家の女性たち　オーラル・ヒストリー』折井美耶子・宮崎黎子・生方孝子編著　ドメス出版　二〇一〇

『労働者と農民』〈日本の歴史29巻〉中村政則

小学館　1976

前書きの中で著者は「日本資本主義の発達の歴史的特徴をもっともよくしめし、かつ戦前日本の労働関係の前近代的本質を解明するうえで格好の対象となるのは」「紡績・製糸業に代表される繊維産業、それにもう一つは石炭産業」、そして「明治以来の日本経済は、半封建的な地主制度をもつ農村と切りはなしがたくむすびついて発展し」「農民のなかでももっとも大きな比重をしめた小作農民」ととらえ、「女工・坑夫・農民という三本柱」として本書を叙述したと書いている。

さらに著者は一〇年にわたって自分の足で歩き、直接会うことのできた「なかば有名、あるいはまったく無名の人々を主人公」とし、「その人たち自身のことばによって、民衆の歴史の豊かな可能性を語ってもらおう」と「聞書きをふんだんに用いた」としている。

「はじめに」で製糸工女輿石けいの場合が紹介される。岡谷蚕糸博物館の所蔵資料にあった一枚の証書から、自分の意思で工場を選ぶ自由もなく、一日一四、五時間も働かされる女工たちの状態を明らかにする。

ついで高島炭鉱では、会社の委託で鉱夫たちを直接監督する納屋頭との約定書。地底深く牛馬のように重労働に酷使される鉱夫たちの状況。

さらに山梨県の大地主の番頭の小作日誌。豊凶にかかわりなく納めなければならない高額の小作料。畳や唐紙までも売り、娘の出稼ぎ賃金さえも小作料として支払わなければ、土地を取り上げられる小作農民たち。

ここから日本の近代を作った「三本柱」の重層構造が、人びとの語りを通じて具体的に描かれ、やがて困難な中での闘いに導かれる。

『女工哀史』の著者細井和喜蔵の妻だった高井としをは、一二歳から紡績に働きに出て「給料安いし、監督はえらそうにいうし、食べ物もまずい」と必死で逃げ出し、その後勤めたところでストライキが起こる。そのとき見た「一枚のビラがひとの運命をかえ」たという。その後猛烈に勉強し、やがて和喜蔵と出会う。短い共同生活の中で、「金銭にはかえられない宝物を得た」という。

一九一八年の米騒動をきっかけに、「こげん米が高うなりゃ、一日働いて二升も買えん。賃金はいっちょんあがらんし……漁民のカカアが騒動ば起したげな。おれたちも、何とかせにゃ」と、筑豊炭鉱では鉱夫たちが暴動を起した。その後会社の態度が一変し「暴動ちゃあ、たいした力のあるもんばい」と、鉱夫たちは思ったという。

鳥取県農民運動の指導者だった大山初太郎や松本積善は、弓ヶ浜争議や箕蚊屋（みのかや）争議を指導する。第一次箕蚊屋争議で実刑を受けた大山が仮出獄で帰ってきた三六年は、大恐慌で疲弊した村になっていた。第二次争議に突入し、日中戦争直前まで運動は続いたとして、著者は「長い道程」のなかで、「小作争議は多数の農民の意識をかえ、新しい農民群像を生みだしていった」と記している。

通史ではあるが、「民衆を軸にして、構造的な把握はそれを枠組みとしておさえるような歴史叙述」（「月報」）にしたいと著者は述べている。

民衆による聞き書き（オーラル・ヒストリー）を用いた歴史書として、今に残る名著である。

（O）

『口述の生活史――或る女の愛と呪いの日本近代』中野卓編著

御茶の水書房　1977

この本は、一八九三（明治二六）年、瀬戸内海の水島灘に面した村で生まれた内海松代（仮名）という女性の一生の物語を、社会学者の中野卓が記録編集したものである。

中野は、水島臨海工業地帯に隣接する岡山県倉敷市の南部にある呼松・松江・高島に住む人びとの公害問題に関連した「住民意向調査」のために、一九七一年この地を訪問した。その調査報告書が出たあとも、「その地に住む人々のことが気にかかって継続調査を進め」、七四年一二月初めて松代に出会い、その後たびたび訪れてはその話を記録した。それは「日本の近代史のなかでその相次ぐ社会変動の渦のなかで展開した彼女の、オナゴの一生」であると捉え、その語り口をそのままに書き、その間に適宜小さい活字の注記が入れてある。

第一章は「松代の生れる前」で、ヒイバアサン（婦由）の話から始まる。岡山藩の士族の出自（黒瀬家）だが、跡取りの弟が道楽をして妻に逃げられたため、その息子（小勇太）を引き取り育て、やがて自分の孫娘（竹野）と娶わせて、松代が生まれる。明治維新の混乱の時代であり、松代の波乱の人生の幕明けである。

第二章「私のおいたち」。松代は一八九三年生まれだが、その前後大津波があったり、ジィサンが死んで商売がだめになったり、トォサンがほかのオナゴと仲良くなってカァサンと別れたりしたために、ヒイバアサンとバァサン（近野）に育てられる。数え年七つのとき神戸にいる母に引き取られたが、岡山と神戸を行ったり来たりしている。

第三章「自助としつけ」。カァサンはきびしい怖い人で学校へも行かせず、裁縫は「許しもん」を縫える腕を持つのに松代には教えてくれなかった。松代はその不満が生涯忘れられず「ひとにたよるこたァ、絶対せんこと」が信条となる。

第四章以下は、母が再々婚した夫（請負師の親分）とともに、日露戦争後の「満州」に渡り、さまざまな苦労を体験する。「ニイサン」と呼んだ継父の連れ子と一緒になるが、やがて「ミヨオト別れ」をして岡山に戻る。その後、元海軍だった人が朝鮮で商売をするので嫁をという話で結婚したが、「変態的」性癖のために朝鮮から無一文・はだしで逃げ出し倉敷に辿りついた。この大変な脱出行が、昨日のことのように生き生きと語られている。

第九章「呼松の家で」。一九一三年故郷へ辿りついた松代はバァサンたちと暮らし、内海助四郎の後妻となり、呼松でその後六十有余年を生活することになる。その間、戦争があり、地震があり、海は埋め立てられてコンビナートになりと、時代も環境も変化したが、松代は息子と孫と嫁と義理の娘に大事にされて暮らし、地域では「お大師講のリーダー」となってもいる。保険の勧誘員に「ヨメに行く仲人も行先もきまっているのに、日にちだけきまっとらん（あの世行き）」と煙(けむ)に巻き、金の買取人には「（金は）まんざらねえこたァないん。あるんですけェど、売るわけにゃいかん。金は金でも借金じゃ」と冗談を飛ばす闊達(かったつ)なおばあさんである。

この本は、社会学の立場でのオーラル・ヒストリーとして草分け的な書であり、編著者は「ひとりの人間が近代の日本の文化のなかで主体性を失うことなく生きた記録である」としている。（Ｏ）

『日系女性立川サエの生活史　ハワイの私・日本での私、１８８９〜１９８２』中野卓編著　御茶の水書房　一九八三

『近代日本女性史への証言　山川菊栄／市川房枝／丸岡秀子／帯刀貞代』「歴史評論」編集部編

ドメス出版　1979

本書は歴史科学協議会の機関誌『歴史評論』に連載された四人の女性の聞き書きをもとに、それぞれ加筆訂正などをして読みやすく編集したものである。『歴史評論』に連載されたタイトルと掲載順は、帯刀貞代「私の女性史研究―婦人運動のなかから」（一九七二年七月号）、丸岡秀子「生活と思想の軌跡」（七七年三月号）、山川菊栄「日本におけるマルクス主義婦人論の形成過程」（七八年三月号）、市川房枝「私の婦人運動―戦前から戦後へ」（七九年三月号）である。『歴史評論』は、女性史研究を積極的にすすめるために、七二年以来、年一回程度「女性史特集」を組んでいる。その一環として、女性解放のために戦前から運動してきた先駆者の軌跡を、時代の証言として取り上げたものである。

山川菊栄は、青山菊栄として『青鞜』一六年一月号に、「日本婦人の社会事業に就て伊藤野枝氏に与ふ」と題し、野枝の廃娼運動批判に対する反論を書いてデビューした。山川は女子英学塾の入学試験の作文に、「私の抱負は婦人解放のために働くこと」と書いたと自伝にあるように、戦前は社会主義的立場での婦人運動や、戦後は労働省婦人少年局の初代局長としてなど、女性解放の第一線で活躍した。現代の女性に望むこととして、最後に「もっと婦人自身が男女差別に対して、具体的な改革を求める必要があります」と述べている。

市川房枝は、平塚らいてうと始めた新婦人協会での治安警察法第五条修正運動を手始めに、戦前は婦人参政権獲得の運動に、戦後女性の参政権実現後は、女性の政治意識向上のため、参議院議員当選後は売春禁止法の実現のためや理想選挙などのため、寸暇を惜しんで活躍した。国際婦人年には国際婦人年日本大会を実行委員長として開催。時の大平首相に、女性の地位向上について国会で鋭い質問などもした。市川は「権利の上に眠るな」という言葉を残している。

丸岡秀子は、産業組合中央会（JA農協の前身）に勤務し、日本全国の農村を調査し、三七年『日本農村婦人問題』（高陽書院／ドメス出版、一九八〇）を著した。戦後は日教組教研集会の講師として、教育の問題に取り組み、日本母親大会の開催にも貢献した。ここでは『日本農村婦人問題』に至るまでの生い立ちなどが語られている。母を早くに亡くし祖母に「一芸を身につけろ」、自立できる女になれと育てられた。「人こそ命」「人生に卒業はない」などと語る。

帯刀貞代は、島根から上京、東大新人会の学生たちと知り合い感化される。紡績女工たちに心を寄せて亀戸に移り住み、労働女塾を開いた。戦時下のきびしい情勢の中で、労働婦人問題、女性の歴史などに関心を寄せ、学び続ける。戦後は女性解放問題に関する文筆活動で活躍。岩波新書の『日本の婦人　婦人運動の発展をめぐって』は近代日本女性史として先駆け的著作であり、『日本労働婦人問題』（ドメス出版、一九八〇）は丸岡の本と並ぶ古典的著作である。

「自分たちの研究がなんらかの役に立つんだという自覚がなきゃとてもできないんじゃないかしら」と述べている。（O）

『水子の譜(うた)――引揚孤児と犯された女たちの記録』 上坪隆

現代史出版会発行、徳間書店発売　１９７９／社会思想社　１９９３

表紙の写真は、戦後、福岡の博多港に着いた少女の写真である。白布に包まれた母の遺骨を首から下げている。髪が短く刈られて、手足も細く、藁草履(わらぞうり)をはいている。年齢は一二、三歳だろうか、ただ外地での食糧難と、肉親を失うなどの精神的ショックで、著しく成長が止まっているので、もっと大きいのかもしれない。（飯山達雄撮影、飯山は泉靖一(いずみせいいち)らの指導者としてモンゴルや中国の奥地に探検隊を組織している。泉に乞われて、二日市保養所での堕胎手術の写真も撮った。そのうちの一枚が初めて公開されている。）

本書は、ようやく日本にたどり着いた子どもたちのその後（第一部）と、犯されてみごもった女たちのその後（第二部）をたどった貴重な記録である。

これらの事実は事の性質上記録に残されることがなかった。著者はＲＫＢ毎日放送のテレビディレクターとして、一九七七年二回にわたってこの問題を放送し、その後の資料などを付けて、まとめたものである。生存者への聞き書きもある。

外地に残された女性と子どもたちが、どのように生き、死んでいったか、多くの痛ましい事例が紹介されている。

命からがら日本にたどり着いた人たちを待っていたのは、明日から始まる生活への恐怖だった。帰る場所も引き取り手もない子どもたちと、肌の色のちがう子どもを身ごもった女性たちを、ともかくも収容した施設があったことにほっとする。

それが、民間人ボランティアによって運営された聖福寮と二日市保養所であった。聖福寮は民間の引き揚げ援護活動として、身寄りのない子どもたちの世話をしていた。中心になって立ち上げたのは、のちに古代アンデス文明の謎を掘り起こした文化人類学者の泉靖一、朝鮮の最下層民の生活を研究していた田中正四、医師の山本良健ら、京城帝国大学の仲間たちであった。ともかくも形を作ったその場所で、実際に子どもたちの世話をしたのは、羽仁もと子主宰の「婦人の友」福岡友の会青年部の石賀信子、内山和子ら若い女性たちであった。彼女たちの多くは、その後も現場を離れず、保育者の仕事を全うしている。

「外地引揚の御婦人方に告ぐ」という四六年七月一七日付の西日本新聞への広告がある。「一朝にして産を異境に失い生活のため否生存のためあらゆる苦難と戦われた」女性たちに、「いまわしき病に罹り、或いは身の異状におぞましき翳をまといて家郷に帰」れぬ婦人たちに、医療施設の紹介をしているもので、厚生省博多引揚援護局保養所と、在外同胞援護会救療部の名で出されている。(W・i・k・i「二日市保養所」による。)泉の文案と言われている。婦人健康相談所の看板を掲げて、おとずれる女性たちの相談にのり、堕胎手術も行なっている。残された「問診日誌」には痛ましい事例がいくつも記されている。

『水子の譜』は九三年、佐高信監修の『ベスト・ノンフィクション』に選ばれて文庫化され、社会思想社から刊行された。その表紙は、乳児を胸に、傍らに幼子を連れた女性の写真である。海を見つめているのは、引揚船の上からのように思われる。副題は『ドキュメント引揚孤児と女たち』に代えられている。また付録として付いていた一六二名の聖福寮在籍者一覧は削除されている。その他は全くの再録である。（U）

『わたしは瞽女（ごぜ）　杉本キクエ口伝』大山真人（まひと）

音楽之友社　1977

もともとの聞き書きは「杉本キクエ口伝」と書かれた最初の一冊である。そこには高田瞽女の最後の親方と言われた杉本キクエの語る瞽女の暮らしが、浮き彫りにされている。六歳で失明、一九六四年、旅を終え、八三歳で亡くなるまでの、キクエの旅が語られている。ここまで聞き込むにはさぞ苦労があったと思うのだが、そんなことはみじんも感じさせない。しかも、瞽女の旅、瞽女の組織などの、瞽女の暮らしが詳しく聞き取られている。盲人の福祉、相互扶助組織としての一面もわかる。

続く二冊（文末参照）は瞽女たちを支えた瞽女宿の没落や、時代の変遷、消えていく瞽女たちを詳しく調査した記録である。

新潟県高田から三里ほどの三和村の大地主宮崎家は、何代にもわたって瞽女宿を続けてきた。分けても大旦那禎治は高田の瞽女杉本キクエにやさしかった。疲れて遅くついた彼女たちに、落とした風呂の湯を水を入れてわざわざ焚（た）いてくれた。

宮崎家は戦後の農地改革で、二〇〇〇坪の土地、家屋を失う。小作の貧乏な暮らしの上に君臨した階級制度の崩壊である。しかしそれは同時に瞽女たちに優しかった宿の喪失でもあった。

四七年の晩秋、杉本キクエは宮崎家の玄関に立って、茫然としていた。殷賑を極めた宮崎家の凋落は、キクエには何としても理解のできないことであった。

初めて電灯が入り、ラジオを聞いた話が生き生きと語られる。それは、娯楽のなかった村々を瞽女歌が慰めていた世界の終焉である。毎年やってくる瞽女たちを待ちかねて、ともに歌った村人が消えていく。

高田の瞽女も、一〇〇人以上いたが、最後は四人になってしまった。戦争は男手を奪い、米の生産は落ち込んで、どの家も瞽女たちに喜捨するゆとりはない。瞽女歌を楽しむ時間もなかった。

著者はルポライターとして、杉本キクエをインタビューし、そこを故郷のように感じて、以後四十数回たずねている。男子禁制の茶の間にも通された。葬儀にも参列、その模様は『高田瞽女最後』に詳しい。『わたしは瞽女』に始まる三部作は、杉本キクエの死とともに閉じてしまった。

瞽女さが村を回っていた世界はもう二度とおとずれないだろう。先導の娘に手を引かれて、村の道を去っていく彼女たちの後ろ姿がみえるようだ。本書は彼女たちに捧げられた挽歌である。それにしても話者と聞き手とのこの蜜月のような関係はなんなのだろう。その熱っぽさは話を聞くことの原点に戻って、聞き書きというものを考えさせる。（U）

『ある瞽女宿の没落』大山真人　音楽之友社　一九八一
『高田瞽女最後』大山真人　音楽之友社　一九八三
『瞽女うた』ジェラルド・グローマー　岩波新書　二〇一四（インターネットで、杉本キクエの瞽女歌を聞くことができる。）

『塩を食う女たち　聞書・北米の黒人女性』藤本和子

晶文社　1982／岩波現代文庫　2018

タイトルの「塩を食う女たち」は、塩に例えられる辛苦を経験するものたちであると同時に、塩を食べて傷をいやすものたちの意でもある。作家のトニ・ケイド・バンバーラの The Salt Eaters から借りたもの。

ヴァージアは、一九四三年ミシシッピーの生まれ。離婚して二人の子どもを育てている。九歳で白人の雑用を始める。貧しい家庭の子どもたちのために黒人の作った学校で半日働き、半日勉強した。黒人だけの大学の図書館で一三歳から働き、寮費と食費を払った。授業料は奨学金でまかなう。大学は公民権運動の拠点になっていた。逮捕される恐れを持たずに活動できた。外部の活動家と共働した。白人の態度はあまりにも侮蔑的だった。まわりでは黒いというだけで殺される事件が起こった。黒人を組織しようとしていた人も殺された。

リジー・マクレアは、〇五年ミシシッピー生まれ、九人きょうだいの末っ子。八六九人の命を取り上げた助産師。祖母の後を継いで助産師になった。夜中でも馬車や馬やトラクターに乗って、妊婦のところに駆けつけた。三〇年間、お産で死んだ母親はかいわいには一人もいなかった。今は一人暮らし、玄関のポーチにすわっていると、彼女がかつてとりあげた若ものたちが挨拶していく。

アーネスティン・オービーは、ミルウォーキーのゲットーで、夫の死後、資格を取って、葬儀社を経営している。典雅で物柔らかな女性だ。言葉遣いの優しさ、表情のたおやかさが、黒人女性として生きてきた歴史を語る。客は黒人が多いが、ぜひにと来る白人もいる。

ユーニスは、三一歳、「ジョンソン財団」の国際会議センターに最初に入った黒人だった、晶文社版の表紙のアフロヘアーの彼女は、強いまなざしでこちらを見つめている。ミシシッピー州のマウント・オリーブで生まれた。五人兄弟姉妹の次女だった。村は黒人ばかりで、白人を見たことはなかった。黒人に対する差別撤廃が実施されることになって、父は黒人が投票を行なうのを促す運動に加わっていた。ク・クラックス団（kkk）が付け狙い、家族の命が危険になって、車でミルウォーキーに逃げる。以後、父はまるで人が変わった。力が尽きたみたいで、お酒を飲んで、それから二〇年間もう何もしなかった。

ユーニスは、働きながら大学を卒業してソーシャルワーカーになり、親の家を出たくて結婚した。三人目の子どもができたとき夫は中絶しなければ離婚だといった。子宮外妊娠していて死にかけた。のち離婚して二人の子どもを育てる。三九歳で「モット財団」に転職、ある夏の昼下がり、黒人のゲットーの家々の階段でビールを飲んでいる男たちを見て、修士号までとって、白人の社会で成功したけれど、私はここで何ができるの、と思った。そして黒人の小企業の経営者を助ける仕事をはじめた。教会では、黒人であることを肯定できるように手を貸したいと思っている。

「黒人の女として、アメリカ社会に生きるとはどういうことなのか？」を六〇年代のブラックパワーの昂（たか）まりと挫折（ざせつ）のあとで、四十人余の女性から話を聞いている。登場する女たちは、個人としての生活を語り、仕事、教育、運動、男、子どもたちを見据えている。そして地域活動のネットワークを通して力強い活動を始めている。『思想の科学』一九八一年七月号から八二年八月号まで連載された。（U）

『ブルースだってただの唄――黒人女性の仕事と生活』藤本和子　ちくま文庫　二〇二〇

『浜の女たち――銚子聞き書き』常世田令子

筑摩書房　1984

千葉県銚子漁港で働く一二人の女たちからの聞き書きである。著者は浜の人びとからの聞き書きを志して、二〇年ぶりに故郷に帰る。一九八一、八二年の聞き書きであるが、今では見られない貴重な記録になっている。

「できればこの港町に暮らす人々の肉声、荒浜に重奏して響き和し、海揚がりの神々も渡海人の墓地も生命を吹き返して息づき始めるような、そんな聞き書き、銚子交響詩を生れさせたい」というのが著者の願いである。取り上げた女たちの仕事は以下のようである。

1、内浜魚働き九〇歳　文字通り、痛みやすいイワシを相手に、干したり、〆めたり、大漁の時は肥料にもするのは、すべて女の手であった。

2、廻船宿いまむかし　廻船とは地元銚子の舟以外の旅の船を言い、その水揚げから寝泊まりまで世話をするのが、廻船宿だった。その世話は女の仕事である。

3、アグリの家の女　アグリとはイワシをとる旋網船のこと、その家に嫁いで、創業五〇年、家は一〇〇年という。

4、黒生浦小舟暮らし　一九歳で七代続いた漁家へとつぐ。チョキという細長い小舟で櫓と帆で沖へ出ていたが、チャンキというエンジン付きの大きい船に変え、その世話に明け暮れた。

5、荒海に魚追う外川夫婦船　船酔い止めの薬を浴びるほど飲んで、夫と船に乗り、沖に出た。漁具も餌も手作りで、たくさん釣れたときはうれしかった。

6、イワシ加工半生記　冷蔵や冷凍のおかげで、時を見て加工することができるようになった。みりん干しや丸干し、煮干しと、すべて女たちの仕事である。

7、かまぼこ老舗に過ぎた年月　かまぼこやちくわつくりを町で最初に始めたのが祖父だった。以来その味を守ってきたが、今はスーパーにおされている。

8、大波かぶって海女稼ぎ　ノゲノリという細く短い海藻が収益がよかった。岩肌に生えるのを取った。在野の研究者の夫をこともなげに支えてきた。

9、港に近く網を商う　漁労につきものの網を商って三代、魚によって網目の大きさが違う。網を反物で仕入れて、網大工に仕立ててもらう、魚の入りがいいと評判だった。

10、不漁を支えた籐に生きて　不良期の困窮時、技術が伝えられ、下駄や草履表の籐編が女たちの手内職となりカマドを支えた。籐屑だらけの暮らしだった。

11、無線局長は外川育ち　千葉漁港で女性が責任を持つ無線局は銚子だけ、資格を取って局長となり、時に命にかかわる仕事を気負いなく務めている。

12、魚市場前に魚をひさぐ　魚市場の前で魚を売るのだから鮮度のいいのは当たり前、行商から始まって、仲買人の資格も持つ。魚の名を知らずに嫁にきたという。

命を的に仕事をする男たちに交じって、自由闊達に生きる女たちも魅力的である。（U）

Ⅳ　戦争と戦後を生きる〈1985～〉

大娘(ダーニャン)たちの戦争は終わらない。

『黄土の村の性暴力』石田米子・内田知行編

『「よい戦争」』 *"THE GOOD WAR" An Oral History Of World War Two* スタッズ・ターケル　中山容他訳

晶文社　１９８５

タイトルには「かっこ」が付いている。第二次世界大戦はアメリカ人にとって「よい戦争」だったという神話がある。しかし「よい」と「戦争」が結び付くのは、用語上の矛盾だと著者ターケルは言う。ラジオのニュースキャスターやインタビュアーとして活躍している著者の、『仕事！』『アメリカン・ドリーム』などに続く六冊目の聞き書き集である。一九八五年ノンフィクション部門でピュリツアー賞を受賞している。一二級二段組み、六二〇ページに及ぶ大著である。この聞き書きに登場するのは、あらゆる場所、立場の人びとである。

まずパールハーバーの海軍基地のパイプ工見習いの話から始まる。海兵隊員、軍医、赤十字部隊、日本軍捕虜収容所、フィリピン戦線の衛生兵、婦人部隊、銃後の勤労奉仕、従軍看護婦、黒人曹長、良心的兵役拒否者、脱走兵、強制労働収容所、死のキャンプ、情報部員、戦略局、パルチザン、英雄志願、ゲイの戦い、国防情報センター、爆撃者と被爆者。

およそ一三〇人の戦時下の暮らしが、丁寧に聞き出されている。「パールハーバーからヒロシマまで、アメリカ人の男や女ばかりでなく、多くのドイツ人、ロシア人、イギリス人、そして日本人が、世界を巻き込んだ大戦争の歴史を再現した」と言われ、「一つの時代を生きた人々の感情を、まるで手に触れたような肌触りで伝えてくれる」と絶賛された。

「女の子がノケモノにされることがなくなった」、という女性。「出征してもらえるものは、たかだかGI特例法による権利で、学校に行かせてもらえるというだけ」という黒人帰還兵。「景気はよくなった、だがそれは息子の死という高い代償を払った」という南部の農民。「あの状況下で、原爆の仕事をしたことは後悔していないが、今までは度を過ごして向うみずになってしまった。地球上から我われ自身をふきとばすことになるかもしれない」と、核兵器開発にあたった核科学者。原子爆弾製造工場で何も知らずに働かされて、がんになったり、子どもが生まれない、あるいは障害を持って生まれているという話。ナガサキへの原爆投下に参加した兵士は、「だれか別の奴でもそうしたに過ぎないことをやってたにすぎない、選択の余地はなかった」という。日本人の被爆者は「死んだ人たちは、私たち生き残った者に、自分たちの死を無駄にするなと呼びかけてるのだと考えるようになりました。そうして、私は後ろめたさを活動に変えることができるようになりました」と語る。両足を失い、五倍ほどに膨れ上がった手でも、アメリカ政府の復員軍人病院は診察も入院も認めない。病気を起こすほどの放射能を浴びた可能性がないという。被爆の責任を認めることになるので、その治療が受けられないのだ。

終章は「年取って死にたいな。世界に戦争が始まらないうちにさ」「大きくなるまで生きてるかしらね。先のこと約束できないのよ、何が起こるかもわかんない」という子どもの声で終わっている。明らかに著者ターケルの恣意(しい)によるまとめと思われる。しかしその強引さを納得させるものがある。(U)

『私たちの中のアジアの戦争——仏領インドシナの「日本人」』吉澤南

朝日新聞社　1986

大東亜戦争期にベトナムに関わった四人の聴き取りである。

1　西原機関の電信係（一九四〇年ベトナムに）

北海道根室に生まれる。父親は漁師。札幌の逓信講習所高等科を出て、岩見沢郵便局に配属される。三五年二三歳で上京、電信関係の仕事をしながら中央大学専門部法科に入学。三七年三宅坂の陸軍中央無線電信所に勤める。四〇年仏印（フランス領インドシナ連邦、現在のベトナム、ラオス、カンボジア）への出張を命じられる。西原機関の陸軍側のメンバーとして、任務は仏印当局として援蔣（えんしょう）物資の通過の禁止措置を監視することであった。裏任務は中国南部にあった日本部隊を仏印に進駐させる交渉をすること。

2　台南製麻の会計係（四二年ベトナムに）

一九一九年台湾の台南市生まれ。父は和歌山生まれ、一八九四年台湾に渡り、土建業で成功。そのつてで台南製麻に会計係として勤める。二〇歳で兵隊になり、中支（中国中部）に。迫撃砲で右足骨折。四二年除隊。元の台南製麻に復職。物資輸送用の麻袋を作るため、ベトナム農民に黄麻（ジュート）の栽培を指導（強制）していた。

3　大南公司の農業指導員（四三年ベトナムに）

一九二四年台湾生まれ、台湾の農業技術員錬成所から、一九歳で黄麻強制栽培の現地指導員として、「日本人」として、ベトナムの小村へ。その後、軍の通訳。戦後、無国籍者扱いで、ようやく八〇年、妻、子ども、嫁、孫一七人を連れて、難民として日本へ。

4 ハイフォンの憲兵（四三年ベトナムに）

一九一八年長崎島原の小作農の八人兄弟の五番目に生まれる。三八年馬丁兵として入隊するが、猛勉強して憲兵試験に合格、四〇年、陸軍中野学校で憲兵の教育を受ける。四二年ハイフォン憲兵分隊へ。日本の逃亡兵の捜索、軍人・軍属の犯罪の取り締まり、ベトナム人の犯罪の摘発にあたる。

3を除く三人は、一九五四年引き揚げ船興安丸で舞鶴に着いた。三人ともベトナム女性と家庭を持っていたが、妻子をベトナムに置いてきている。

四人は日本の敗戦により、国の庇護（ひご）がなくなって、はじめてベトナム人とともに生きた。「日本の歴史学は『日本人』の民衆レベルの戦争体験を、研究の対象として真面目に位置付けてこなかった」と著者は言う。すべて仮名である。原稿も見せていない。「文章は私が書いたもので、責任はわたし個人にあると考えたからである。話し手の言葉をそのまま文字にするということをしなかった。テープすら取らなかった。時には話し手の感想や価値観や評価にさえ疑問を投げかけ、自身の感想や評価を対置させた」。大学の研究室を抜け出して、ベトナム民衆からの聞き取り調査を計画していた著者の、若すぎる死が本当に惜しまれる。（U）

『須恵村の女たち　暮しの民俗誌』ロバート・J・スミス／エラ・ルーリィ・ウイスウェル　河村望・斎藤尚文訳

御茶の水書房　1987

一九三五～三六年にかけて、アメリカの人類学者ジョン・エンブリーとその妻エラが、日本の農村調査のため熊本県須恵村に滞在し、その調査をまとめて、『日本の村落社会―須恵村』として出版した。エラがそのとき独自に調査した須恵村の女たちについてのノートが、ロバート・J・スミスに託されて編集されたものが本書である。ジョンの本と本書は、ある意味で対をなしていると言える。ジョンの『日本の村落社会―須恵村』は、「須恵村の人びと全体を公的に撮影した記念撮影のようなもので」、エラの本は「須恵村の人びとのスナップ写真である」と、訳者の河村氏は述べている。

エラはロシアの極東地域で生まれ、父の仕事のために日本に移り、函館、横浜、神戸、東京などで育ったため、日本を「故郷」だと感じており、日本語はかなり「流暢(りゅうちょう)」に話せた。のちカリフォルニア大学バークレー校、そしてパリのソルボンヌで、フランス文学を学んだ。ジョン・エンブリーと出会ったのち、人類学はエラの生き方の一つになったという。いくつかの大学で、マリノフスキーやマーガレット・ミードなどの講義を聴講していた。

一九三五年当時、須恵村の人口は一六六三人で、二八五世帯からなり、村は覚井、今村、阿蘇などの八つの区に分類され、さらに区には二から三の部落があり、球磨川(くまがわ)が村の真ん中を流れていた。平地の部落は米や麦を作り、丘陵地では甘藷（さつまいも）やとうもろこしなどの野菜を作り、山腹には茶畑と桑畑があった。山の部落ではきのこや炭を作っていた。中心の覚井は雑貨屋、せんべい屋、ちょうちん屋、豆腐屋などがある小商人の部落だった。本書に登場する女性たちは、これらの家々の娘、妻、母たちである。

日本女性は従順で慎み深いという、ステレオタイプ的な見方を欧米人は持っているが、須恵村の女性たちは、「独特の情報を提示してくれる」とロバート・スミスは述べている。明治政府は、武士階級の家制度をすべての国民に押し付け、教育によって「孝行な娘、従順な妻、追従する母という女性の観念」をめざしてきたが、明治民法施行後、約半世紀ののちの須恵村の女性たちは、「まったく奔放で、好奇心が強く、もの怖じせず、はっきりものを言う」、「強く自分の意見を主張し、外の世界の生活のある特定の側面について好奇心を持ち、噂話をするのに熱心で、若い外国からの訪問者に、養蚕の技術から、夫婦生活のもっとも個人的な詳細に至るまで、すべてのことを教えることに興味を持つ人たちとして現われる」とロバートは要約する。若い女性を除いて彼女たちは文字が読めなかった。

内容は、プロローグ―回想の須恵村、1　女たちの特徴とその世界、2　正規の婦人団体、3　対人関係、4　性―公と私、5　生活の実態、6　若い男女、7　結婚・離婚・養子、8　妻と夫、9　母と父、10　少女と少年、11　心身障害者と不適応者・放浪者・魔女、12　結論、である。

エラは日常的に村の女性たちと接触し、いろんな会合にも出席し、神社や寺への巡礼にも一緒に行き、同じようにたくさんの焼酎を飲み、あらゆることを聞く。女性たちは日常的なあけすけ話を繰り広げる。エラはその話をどんなに焼酎で酔っ払っていても、家に帰って必ず「日録」に書き記した。それをもとに出来上がったのが本書であり、小さな思い違いもあるが、性的な話も含めて生き生きと述べられている。(O)

ジョン・エンブリー『日本の村落社会―須恵村』(一九三九)植村元覚訳　関書院　一九五五

『新・全訳　須恵村―日本の村』田中一彦　農山漁村文化協会　二〇一二

著者は西日本新聞社を退社後、須恵村(現あさぎり町)に移住して五年がかりで完成させた。

『エル・チチョンの怒り――メキシコにおける近代とアイデンティティ』清水透

東京大学出版会　1988

スペイン人による「発見」と征服を契機として、ラテンアメリカ社会は生まれた。そこに以前から住んでいたインディオと、征服者として侵入してきたスペイン人、さらにアフリカから連れてこられた黒人も加わって、さまざまな混血が産み落とされた。今、メキシコは混血＝メスティソの国と呼ばれている。

この書の舞台となっているのは、グアテマラと国境を接するメキシコ最南端のチアパス高地にある、先住民社会のひとつチャムーラ族の住む村である。

一九八二年三月、突然メキシコのチアパス州北部の無名な小山が隆起し、水蒸気爆発をしながら猛烈な噴煙を巻き上げた。六月に噴火がおさまった時には、山は一三〇〇メートルの高さになっていた。この山がエル・チチョンである。この噴火は付近のいくつかの村を壊滅させ、死者二〇〇〇人、被災者は九五万人に達した。

著者は七三年から三年間メキシコで歴史学を学ぶ中で、これまでの歴史学に対する疑問が膨らみ、チャムーラ村でフィールドワークを始めた。七九年から一年おきに三、四か月ずつ、集落に泊まり込み、生活に溶け込んで、調査は可能になっていった。

本格的な調査に入ったとき、最初の集中インタビューに応じてくれたのが、ロル（ロレンソ・ペレス・ホローテ）であった。ロルはチャムーラ村の村役であり、教会の管理者でもあった。そのロルがエル・チチョンの噴火から一年数か月後、八三年九月に二年ぶりにチャムーラの村を訪れた著者に「（あの時は）お救いください。雨を降らせてください。羊のために、トウモロコシのために、とわしらは祈った。それからようやく雨が降ったが、灰のために泉も川もどろどろになった。ところで、あんたの村じゃ灰は降らなかったかね」と尋ねる。何もなかったと答えると、「ああ、そりゃあよかった」と言って、心から喜んでくれた。ロルの生きる世界で日本は「未知の世界」のはずだが、日本の村にも同じ灰が降るかもしれないと、考えてくれていたロルの言葉に著者は打たれる。

もうひとりの調査協力者、ホテルの住み込みのボーイのフェルナンドの話は哀切である。フェルナンドは少年時代、父に売られてホテルで働くようになっていた。山の噴火に動転して、灰の降る道を、少なくとも四日間は歩き続けて、懐かしい故郷に辿りついた。家の戸をたたくと出てきたのは父親で、彼を見ると、「何で帰ってきやがったんだ。ラディーノ（町の人）の格好なんかしやがって。だから山が怒るんだ。喋れないんか、村の言葉が。帰れ、帰るんだ！」といって、銃を持ち出してきた。父親に連れ出されて六年の間に、彼は土地の言葉が話せなくなっていて、言葉になるのは、スペイン語だった。彼は泣きながら、もと来た道を引き返すしかなかった。今でも、彼は酒を飲むと、その話をし、袖で涙をぬぐうという。

話者との信頼関係が築かれているからこそ、これらの話は聞くことができたと思う。しかし、著者は互いの信頼関係を築くことが最も大切だといいながらも、実際には簡単ではないという。フィールドワークで研究者と研究対象者との関係性についても常に考える。「自分のやっている作業の意味は何か」、「インディオの歴史を辿ることが目的か」、「彼らの歴史から何かを吸いとろうとするための作業なのか」と。そして、自分の価値観や既成の概念で、一面だけを持ち帰ってくる危険性についても考える。

メキシコの征服、植民、独立、近代化の過程を、現地に入り、その土地の人びとから聞き取り、さらに文献資料にあたる中で、これまでの西欧的価値基準の見直しを迫っている。新たな歴史叙述の試みは新鮮で、歴史を学ぶことの面白さに気づかせてくれる書である。（M）

『聞書水俣民衆史』全5巻　岡本達明・松崎次夫編

第1巻『明治の村』、第2巻『村に工場が来た』、第3巻『村の崩壊』、第4巻『合成化学工場と職工』、第5巻『植民地は天国だった』

草風館　1988～90

二人の編者は窒素の労働者、岡本は元水俣第一労組委員長である。松崎は組合の教宣部長。機関紙「さいれん」を聞き書きのスタイルに変更した。初対面の人にも受け入れられる人柄で、第二組合員からも聞き書きをしている。

工場で働いた人びととその家族からの聞き書きが多い。しかも話し手の名前（ほとんどが実名）、生年月日、写真、聞き取った日など、聞き書きのお手本ともいうべき資料がのせられている。工場が建ったころ、機械の詳細、街のにぎわい、人びとの服装なども、写真としてのせられ、民俗資料にもなりそうである。女子挺身隊（ていしんたい）や村の愛国婦人会の写真もある。語り手は約六〇〇人、登場する話者だけでも四〇〇人をこえ、まとめるのに二〇年かかったという。写真を見ていると、一人ひとりの話し手の顔が、今より、輪郭がはっきりと表れる。「文献資料がない以上聞き書きだけが問題を調べていく唯一可能な方法であった」（岡本）。

貧しい土地にしがみついてカツカツに生きていた水俣の農民たちは、明治末、村にできた石灰窒素工場にこぞって働きに行った。大正九年には年給三〇円の下男から、月給五〇円になったものもいた。土地をもらえぬ二男、三男は、「会社行き」になって嫁さんをもらい、自分の家を建て、畑を買った。しかしやがて牛馬のような過酷な労働条件から「会社病」になり、ストライキをした大正期の工場の聞き書きもある。最初から人間扱いをしていなかったのは、いくらでも仕事を求めて働き手が集まってきたからだ。当時、娘たちには「唐行き」か女中奉公しか働き口がなかった。しかし工場で働く女たちにとっては、荒くれ男のなかでの仕事は、セクハラから「わが身は自分で守る」日々だった。やがて電気が来て、汽車が走り、町になる。『会社』さまおかげさま」と賃労働の日々が始まる。戦後の水俣は農地改革で地主はつぶれた。この時の崩壊の様も、見たとおり昨日のことのように話される。戦中、植民地朝鮮に工場を建てて、栄華を極めた暮らしをした社員たちは、敗戦でほうほうの体で逃げ帰る。窒素工場は再建され、全盛期に入る。水俣は地主と工場の二元世界から、工場だけの一元世界となり、全盛期を迎える。

編者の松崎次夫は一九八六年、交通事故で急逝した。「冷めた目と人間を理解する暖かい心を合わせ持った稀有(けう)の労働者だった」と共編者の岡本は言う。「この仕事が終われば全ての原稿を焼いて一本の焼酎のカンをつけ、楽しく飲んでお仕舞にしよう」、「自分のためにやってきた仕事だから」。その二人の暗黙の了解をこえて、五〇部だけでもワープロ打ちにして、残された子どもたちと、激励してくれた友人たちに配って、それを二人の遺書にしようと、軌道修正をした。それが周りの友人と水俣の労働者の力で、全五巻の本になった。それもまた一つのドラマである。本書は前述のような事情から水俣病の発生までは描いていない。(U)

『スミス夫人たちの戦争　第二次世界大戦下のイギリス女性』

コリン・タウンゼンド／アイリーン・タウンゼンド編　山本博子監訳、グループ・サイファー訳

近代文藝社　1993

ごく普通のイギリス女性たち五二人の、第二次世界大戦下の生活と苦悩の証言である。「スミス」は、日本で言えば「鈴木」とか「小林」といった、ごく一般的な名前で、無名の女性たちの総称として使われている。

一九三九年九月一日ドイツ軍がポーランドに侵攻して、第二次世界大戦が始まった。三日にはイギリス、フランスがドイツに宣戦布告をしている。「宣戦布告のとき、母は『神様お助け下さい』といって泣きました。父は『いつかは来ると思っていたよ』と言い、兄は英国空軍に入ることを決め、一四歳だった私はただただ興奮していました」とレオノーラは書いている。

やがて国から「ガス・マスク、配給通帳、身分証明書、ガソリン、衣料券」が渡された。四〇年七月からドイツ空軍による猛烈な爆撃が開始された。所得や希望に応じてアンダーソン・シェルター（屋外の地下に建てるもの）や、モリソン・シェルター（屋内用の鋼鉄でできた机状のもの）が全家庭に配られたという。日本ではガス・マスクやシェルターが配給されたという記録はない。

ドイツの爆撃はほとんど「爆弾」と記されており、「焼夷弾（しょういだん）」という記述は二、三見られるだけである。そのほか「パラシュート爆弾」というのもある。爆弾は頑丈な石造りの家をめち

ゃめちゃにし、直撃を受けると爆死するが、火災が発生して延焼することはあまりなかったようである。

ここに登場する女性たちは、開戦時一〇代後半から二〇代前半で、戦争のさなかに恋をし、結婚し、子どもを産んだ。兄や夫たちは危険な職場に徴用されるか、戦場に出て行き、残された女性たちも、あらゆる職場で働かざるをえなかった。オートバイや自動車を運転し、工場では難しい機械を使い、薬莢に火薬を詰める仕事もした。援農隊といって「勝利のために耕せ」と、都会から農場に働きに行った女性たちもいる。

爆撃が激しいところでは、乳幼児を持つ母に疎開命令が出た。ある日指定された場所に集まり、バンのような車で連れて行かれた農村の教会には、寝室にゆとりのある農家からやってきた人たちが、品定めをするようにして、それぞれの家に連れて帰った。乳飲み子をつれたバリィは、ある農夫に声をかけられてその家に行ったが、妻は「あら、男の子二人って頼んだのに」と不服顔をした。乳児連れではほとんど手伝いはできずに、気まずい思いをした。義弟が迎えに来て空襲のさなかの家に帰った。そのさい宿代としてお金を払ったが、実は政府から費用が支給されていたのだと後で知った。

それぞれの聞き書きにつけられたタイトルは、「家族全員が死んでしまった友人もいました」「マグカップ一杯のお茶とひからびたパン」、「どうか神様、わが家は見逃してください」、爆弾のかわりに「お茶や砂糖を落として」「爆風が子どもたちの息の根を止めた」、死んだ「娘はかわいい蠟人形のようでした」など。戦争が庶民のささやかな幸せを容赦なく奪う様は、勝ち戦となったイギリスも、負け戦の日本も同様である。

巻末に山本博子の解説「第二次世界大戦下のイギリス女性の生活」が載っている。女性は志願兵として四万三〇〇〇人が入隊したが、基本的に家を守り、男性の代わりに重要産業で働くことが奨励された。食料も衣料も燃料も不足する中で、「家庭前線」を守る女性に、政府からさまざまなスローガンが振りまかれたのは日本と同じである。（O）

『原子野(げんしや)の『ヨブ記』　かつて核戦争があった』伊藤明彦

径書房　1993

一九六〇年、郷里の長崎放送に就職した著者は「最後の被爆者が地上を去る日がいつかは来る。その日のために被爆者の体験を本人自身の肉声で録音に収録して、後代へ伝承する必要があるのではないか。被爆地放送関係者の歴史に対して負うた責務ではないか」と考えて、六八年「被爆を語る」という被爆者の声と、無編集の、保存を主としたラジオ番組をスタートさせる。このとき保存まで考えていたのは慧眼(けいがん)というべき。しかし半年で担当をおろされ、佐世保支局へ転勤となり、退職する。

七〇年代には各地で早朝・深夜の肉体労働をしながら、被爆者を訪ね、その声をテープに収録する。仲間と小さな「被爆者の声を記録する会」を作った。やがて設立されなければならない、国立の「原水爆被災資料センター」へ、このテープを寄贈し、公的な力によって活用を図っていただく、というのが目的だった。二一都道府県、二〇〇〇人を訪ね、半分の方に断られ、一〇〇二人の話を録音したのは七九年夏。広島の被爆者五七一人、長崎四〇九人、第五福竜丸乗組員などビキニ水爆実験被災者一九人。オープンリール九五〇巻の原テープは、無編集のまま保存している。八二年からテープ保存のための技術的手入れをし、五一人分、五二巻の録音を、オープンリール版「被爆を語る」として、全国一三の公的施設、図書館へ寄贈する。そのため該当する被爆者、遺族の同意を得るため、改めて東北から沖縄までを訪ねる。そのうち一四人を選んで編集し、カセットテープ版『被爆を語る』を製作。全国九百余の平和資料施設、公共図書館、研究所、大学・高校図書館へ寄贈（このリストは本書巻末に掲載）。寄贈テープは一万三〇〇〇巻余り。八九年から九二年の三年間の仕事となる。

残された仕事は、あの日を、被爆者の声を中心に『録音構成ヒロシマ』『録音構成ナガサキ』として制作すること、原テープとその著作的権利、語り手の基本的なデータを記した名簿類、被爆地点を記す地図パネルなどの付帯資料の一切を、いちばん適当と思われる公的施設へ寄贈すること、そこで次の時代への伝承と活用を図っていくことが、次の課題だという。以上長々と引用したのは本書のまえがきに書かれた著書のことばである。

ただ圧倒されて読む。これだけの思いを持続し、実行した著者に敬服する。以上に記したことを私人として、私財で成し遂げた著者の熱い思いが伝わってくる書である。そのためしばしば語り手の話を超えて、著者の筆が先行するところがある。また、語りえぬ思いを代弁しているところもある。これはもともと録音が目的で、そのテープがあることで逆に安心して語られるのかもしれない。多くの被爆者の話を聞いた著者だからこそ、書けることかもしれない。

本書の後半は、長崎の浦上の七世代にわたるカトリック信者の歴史から、命を賭して信仰を守った彼らの上に原爆が落ちたことに触れ、ローマ教皇庁の戦争責任問題が追及される。一冊の書としては異例だが、熱い思いに引きずられる。（U）

『アンダーグラウンド』村上春樹

講談社　1997

一九九五年三月二〇日、オウム真理教の信者によってサリンをまかれた地下鉄の車両に、たまたま乗り合わせた人びとのうち、六二人からの聞き書き（著者はインタビューと言っている）である。

分厚い本だが、それだけではなく、通りいっぺんには読み続けられない。これらの人びとの生活の一端をはからずも知ることになり、厳粛な気持ちにさせられるからだ。一人でもかなり重いのに、次つぎと六二人の生活が、重なって圧倒される。

この朝、人びとの多くは職場に急いでいる時間である。

自宅は東京近郊の、たいていは職場まで一時間以上かかるところにある。地価高騰で、そこにしか家が手に入らなかったからだ。にもかかわらず多くの人は、始業時間の三〇分前、中には一時間も前に出社している。そのほうが仕事の能率が上がると言って。会社まで二本か三本の地下鉄を乗り継いでくる人もいる。中には混んで、命の危険さえ感じるような時もある。それでも毎朝、黙々と耐えている。

職場では、まじめに勤め、責任者となったり、中堅社員として頼りにされている。だから、少々の体の不調を感じても会社に行こうと目指している。そして途中で倒れている。亡くなった地下鉄の職員も、サリンの袋を片付けていて倒れた。

銀行員もいる。自衛隊員もいる。場所柄アパレル関係の仕事の人も多い。元競馬選手のアイルランド人もいる。結婚したばかりで、妻の出産を待っている人もいる（この人は子どもの顔を見ることなく亡くなった）。「孫の顔を見ないでどうするの！」と奥さんに叫ばれ、生死の渕から戻った人もいる。

話をきいた六二人のうち、亡くなった人は三人、まだ療養中で退院できない人もいる（浅野幸子さんは二〇二〇年三月一〇日、二五年の療養生活を支えたお兄さんに看取られて亡くなった）。

退院はしたけれど、今も体の不調に悩まされている人、精神的トラウマを抱えている人、今でも地下鉄に乗れない人もいる。

オウムの教理は彼らと無縁のところで空回りしている。彼らの幾つもの小さな物語は、どれ一つオウムの人びとには届かない。

本書はインタビューに応じた六二人の聞き書きからなっている。著者は六二人に自ら足を運び、テープ起こしされた原稿をまとめている。

はじめに初対面の短い印象が書かれていて、それが話を補っている。著名な作家だが、この聞き書きは語られるままにつづられて、当時の多数のサラリーマンの暮らしが浮き彫りにされている。（U）

『ここに生きる——村の家・村の暮らし』古庄ゆき子

ドメス出版　２００２

古庄ゆき子は、女性史とりわけ地域女性史研究の草分けの一人であり、『ふるさとの女たち大分近代女性史序説』（一九七五）、『豊後おんな土工』（七九）、『大分おんな百年』（九三）など大分県を舞台とした女性史を多数出版している。

本書は、Ⅰ村の家・村の暮らし　Ⅱ大分おんな物語　Ⅲ聞き書き　祖母・母・娘―娘が語る女三代、といった構成になっており、純然たる聞き書きはⅢ章のみである。しかしⅠ章もⅡ章も古庄独特の感性で村の暮らしに分け入り、高度経済成長以後、その姿を消しつつある村の人びとの姿や意識、あるいは習慣など、を生き生きと描き出している。それはあたかも村の人の口から直接語られているような感じを与える。そして大分地方独特でありながら、日本の村々に共通する風習やしきたりであったりもするところが面白い。

Ⅰ章では、「天長節」とか「明治節」とかがあった時代、子どもたちは学校へ式に行った。晴れ着といってもお下がりで、式の間中は「お喋（しゃべ）りするな、鼻水をすすってはならぬ」などなどを耐えねばならなかった。春になると村には「瞽女（ごぜ）」たちがきて、門口に立ち三味線を弾き悲しい歌物語を語る。村の婆様たちの娯楽であり知識のみなもとでもあった。こうしたことは全国どこでも見られたであろう。

「労苦に満ちた六〇年余りの生涯を閉じた名も知られぬ村の女」は「少しばかり骨っぽく、理屈を好む」ために「村での評判」はよくなかった。彼女はトマトや新種のナスやキャベツを見事にならせて、村の伝統的な食生活への大胆な挑戦をした。しかし過労がもとで一〇年余りの病床生活となり、そのなかで長塚節の『土』を繰り返し読んだ。「この本の随所に引かれた赤線と幾箇所かの書入れだけが、彼女の生きていた証しとして残った」と著者は書いている。

Ⅱ章では、多彩な女性たちが登場する。

官営富岡製糸場に行った藩士族の女たち、吉四六（きっちょむ）さんのような「威張り屋で、お調子者」、しかも間抜けな亭主を、呼吸を心得てうまく活躍させる「カカァ」である「オヘマ」さん、こんな夫婦はいたるところにいたらしい。「子守りゃつらいもんじゃ身は親方に　心ばかりはわしのもの」という山村の「宇目の唄げんか」は、子守女たちの当意即妙の唄であり、生きるための智慧（ちえ）だった。

Ⅲ章は、文字通り娘が語る祖母・母そして自分の、三世代の女の物語である。

祖母は四人の子どものいる男のところに恋愛で嫁いだ「後入り」だった。祖父はそのころ村役もやっていたが、祖母との間に八人の子をなした後、大酒飲みで身上（しんしょう）を潰（つぶ）して亡くなってしまう。祖母はそのあと家の主となり、なさぬ仲の長男の嫁をいじめ、その義理孫いじめもする。しかし「することはちゃんとやる」し、「村のもめごと」はきちんと治めるという女傑だった。母は「鬼姑（おにしゅうとめ）」と小姑八人に仕え、難聴の夫を助け、没落し小作となった家を支えた。娘は家を出て紡績女工となり、寮での生活で自治会活動に目覚めて、労働組合がやらなかったストライキで賃上げをかちとる。病気で退職したあとは労働運動に専念したという。

著者は、「農村の姿を掘り起こし、記録しはじめたのは、村への急激な資本主義の浸透によって、過去が無意味なものに見えてくる状態への抵抗の試み」であると書いている。第五一回日本エッセイスト・クラブ賞（二〇〇三）を受賞している。（O）

『ラディカル・オーラル・ヒストリー　オーストラリア先住民アボリジニの歴史実践』保苅実

御茶の水書房　２００４

この本は、従来の歴史学、オーラル・ヒストリーからみると、表題通り、かなり「ラディカル」な主張を含んでいる。「ラディカル」は、「急進的な・過激な」のほかに「根源的な」の意味を含み、ここでは「根源的な」問いかけを行なっていると解釈できる。

著者は、一橋大学で修士号を取得したのち、オーストラリア国立大学で博士号をとり、同大学の人文学研究所の客員研究員として、先住民の研究を行なってきた。その集大成がこの書物である。著者が対象とした地域は、オーストラリアの北部、ビクトリア・リバーの最上流域でグリンジ・カントリーと呼ばれる。

まず「第一章　ケネディ大統領はアボリジニに出会ったか」で、著者の言葉に耳を傾けよう。（僕は）「（村で）一緒に生活していく中でかれらが具体的に行なっている歴史実践を一緒に経験していく」、「つまり……歴史することを心がけました」。「かれらはかれらで歴史家であると、発想をかえてみる」と「どうなるか？　必然的に『大地（の声）』を歴史のエージェントとして受け入れなくてはならない」。「超自然的な語りや記述を何らかのメタファー」ではないとすれば、どうなのか、というのが「僕の主張、問題提起です」と。

オーストラリア大陸には四～五万年以上も前から狩猟採集活動をする人びとが住んでいたが、

一八世紀後半以降イギリスの植民地となり、特に北部地域は牧揚開発の対象となった。グリンジ・カントリー地域には、イギリスの大畜産業者によるウェーブヒル牧場が開発され、設立時にはアボリジニを殺害したりしたが、のちには安い労働力として搾取の対象とした。

一九六六年劣悪な労働条件に抗議して牧場を退去し、自営のコミュニティーを設立、白人に対して自分たちの土地を返還するよう運動を始めた。七五年、ついに三三〇〇平方キロメートルの土地が牧場から、グリンジの長老たちに返還された。この牧場退去運動の前にケネディ大統領がやってきて、「自分はアメリカ人のボスだけれど、アボリジニに協力すると約束をした」とグリンジの人びとは語る。ケネディ大統領がグリンジに来たことがないことは、アカデミックな研究者でなくとも「知っている」。しかしこのグリンジの歴史分析を、「どう受け入れるか」が問題なのです。「グリンジの人々は、過去のできごとや経験を現在に語りなおし、再現しなおし、それを倫理的、政治的、霊的、思想的にさまざまな分析をくわえ、歴史から何かを学び、何かを伝えようとしている、という意味での歴史家なんです」と書く。

保苅は、アボリジニの長老の一人ジミー・マンガヤリ（ジミーじいさん）と出会い、この傑出した「歴史家」（もちろん専門家ではない）を師匠と仰ぎ、「第二章　歴史をメンテナンスする」意味を深く考察する。

そして「このようなアボリジニの人びとによる歴史実践がわれわれに突きつけているのは、歴史時空の根源的な多元性であり、西洋近代を普遍化することに取り憑かれてきたアカデミックな歴史の限界である。こうした『危険な歴史』を『間違った歴史』として排除することは、アカデミックな知の権力が世界にひろがる多様な歴史時空を植民地化してゆく営み以外の何ものでもない」と主張する。

この大部な、まさに「ラディカル」な書物を、こんな形で紹介するのは無謀かもしれない。しかし、本書を書き終えて五日後にがんで急逝した若き研究者、保苅実へのオマージュとして、つたないながらもこれを書かせてもらった。(O)

『黄土の村の性暴力――大娘たちの戦争は終わらない』石田米子・内田知行編

創土社　２００４

一九九二年に東京で開かれた「慰安婦」問題の国際公聴会で、中国人女性では初めて、自らの性暴力被害を訴えた万愛花さんとの出会いから、本書は生まれた。本格的に中国盂県に入り、実態調査を開始したのは九六年。それから一八回にわたる聞き取り調査を行なう。九八年には聞き取りをした被害女性一〇人が、日本国家を相手に謝罪と損害賠償を求める裁判を起こした。本書は裁判が係争中であり、実態調査も継続中であったなか、聞き取りをした人びとへの責任として、性暴力被害の実態とその背景に関する調査と研究の結果を、「中間報告」として「性暴力の視点からみた日中戦争の歴史的性格」研究会による、共同研究の成果としてまとめたものである。

本書の構成は一部は証言・資料編である。証言者は性暴力を受けた九人の女性、被害女性の家族、地域住民男性・女性など、合計二〇人の証言を整理し、解説と資料を付した。二部は論文編で、山西省における性暴力とその背景についての論考六編を載せる。

困難で地道な調査から見えてきたことを、編著者の一人、石田が語っている。

山西省盂県西部の村々は、貧しいが、生活の文化の厚みと地域社会の長い歴史を背負っていた。日本軍が侵入した当時、女性は纏足し、売買婚・早婚が慣習であり、女性たちは家父長制下の家族の保護と抑圧の中で生きてきた。侵入した日本軍は、村と住民を抗日勢力と奪い合い、繰り返す「討伐」と「対日協力」の秩序育成の中で、村と家族は抵抗の力を打ち砕かれていった。

こうして日本軍の暴力に女性たちがさらされ、おびやかされて、あらゆる性暴力がまかり通ることになった。調査チームは個人の個別の被害にこだわり続けることによって、この性暴力の実態に具体的に迫っている。今日にいたるまで、ほとんどの性暴力被害者が沈黙を破ることができずに苦しんでいる構造、侵略した国家の責任にいたる構造は、村と村の占領支配の解明抜きには語れない。

日本軍による性暴力被害女性九人への聞き取りがまとめられているが、語り口は淡々と綴(つづ)られているが、どの体験も苛烈(かれつ)で、読んでいるのが、辛くなってくる。盂県西部では、高齢の女性たちを愛情をこめて「ダーニャン（大娘）」と呼ぶ。五〇年に及ぶ長い歳月、被害女性一人ひとりが恥ずかしいと思い続け、自らを責め、忘れようとしていた忌まわしい記憶を語ることは、心身に刻まれた体験に向き合うことであった。その過程で、次第に自らの尊厳を取り戻していく。そこからは、世代や民族・国家の共同体の枠を超えて、歴史認識を共有していくという希望を感じさせられる。

調査・研究を通じて、これまでの戦争研究と戦争認識におけるジェンダー・バイアスの深刻さを痛感させられる。戦争における性暴力の問題に、被害者への人間的共感を持って向き合うことが、いかにこれまでなされてこなかったかがわかると同時に、これまでの日中戦争の見え方も大きく変わってきたという。

この調査・研究は、聞き取りと文献資料を結び付けて、歴史像を描き出そうという試みである。歴史学における記憶・記録・記述の扱い方という方法上の課題をも提起している。

単に、日本軍と八路軍・抗日勢力の攻防として、華北の戦場の日中戦争をとらえ、日本軍の暴行と抗日闘争という軸から事実を位置づけるのではなく、戦場となり、軍事的に支配された村の女性と住民の視点からとらえ直すという方法によって、過去の戦争にかかわることで、現在進行形で起こっている戦争の見え方は明らかに違ってくる。調査の醍醐味をも感じさせてくれる書である。（M）

『在日一世の記憶』小熊英二・姜尚中編　　集英社新書　2008

「わたしのねがい　じをかきたい。しんぶんをよみたい。てがみをかきたい。てがみをかいて　かんこくのしんせきに　だしたい」。姜金順さんは、先に募集に応じて日本に行った夫を頼って渡日。自らも八幡製鉄所で雑役として過酷な労働を強いられながら、七人の子どもを産み育てた。八〇歳を過ぎて識字学級に通い、生まれて初めて書いた文章だ。

五二人の在日コリアン一世（うち女性は一七人）のオーラル・ヒストリーが生年順に綴られている。そこには時代の波に翻弄され、渡日した彼らの苦難と、それを生き抜いたそれぞれの人生の集積が、日韓をめぐる歴史と重なり、歴史をつくってもいる。

李鎮哲さんが小学校へ入ったとき、不潔だといって、五、六人の同級生に、殴るけるの暴行を受け、一週間ほど続いたという記述がある。こういったことは在日の子どもたちには日常茶飯事だった。戦後、半数の同胞が帰国する中、日本に留まり、米運び、ボロ買い、パチンコ店の手伝いなどをした後、パチンコ店の共同経営者になり、福井商銀信用組合の理事長になる。一方参政権訴訟（地方自治体の選挙権・被選挙権）で画期的な福井地裁判決を勝ち取る。不二越訴訟（強制労働の朝鮮人への賃金不払いに対しての異議申し立て）、大東亜聖戦大碑（金沢の兼六公園内にある）撤去運動にも取り組むなど活躍した。

余日花さんは「歴史の時間、神功皇后の三韓征伐とか、加藤清正の虎退治の話になったら、顔をあげられなかった。女学校時代は長刀、竹槍の訓練、ゲートル巻き、包帯巻き、遺族の家の農作業の手伝いの後、学徒動員だった」という。戦後、国語（クゴ）講習所から、教師の養成機関である大阪朝鮮師範学校を卒業して、民族学校の教師に。四人の子どもを育てながら、四〇年間の教師生活、差別と闘ってきた。今、いろいろな分野で活躍する教え子たちを見ながら、七〇何年間生きてきた人生の価値と喜びをかみしめている。

詩人の金時鐘さんも登場。ずっと沈黙していた四・三事件について語る。「親父は一人息子が民族運動にのめりこんでいくのを反対しなかった。親父自身も三・一独立運動を経験している」「四・三事件は悲惨な敗北だった。しかし目の前で歴然と民族が分断されることに力を傾けて反対を唱えた人たちがいたという誇りとして記録されるべきだ」と語る。「あの時、分断されていなかったら、北も今の姿ではなかっただろう。九死に一生を得て、日本に来たのは一九四九年、二一歳のときだった。逃げた負い目を背負って、深い挫折感から日本で生きとおすことが自分の詩の命題なのだと心に決め、『在日を生きる』という言葉をその時から使い始めた」という。

五二人の話は、例外なく苦難の歴史である。しかし、生き抜いた人びととの歴史でもある。生身の人間に接して、何時間にもわたって苦難の人生を聞くことは、直接人間の感情に接することにもなり、強いインパクトがある。語り手が選別して語り、聞き手がそれをまとめ直すことでオーラル・ヒストリーは出来上がる。語り手と聞き手の共同作業であるということは、今や常識かもしれない。

この書は、さらにオーラル・ヒストリーの可能性を広げている。小熊英二、姜尚中による綿密な企画と、それを支えるベテランのインタビュアー・ライターの存在によって成り立っている。「オーラル・ヒストリーの可能性は、文書化されていない秘話などが聞けることよりも、そうした共同作業のなかで人間がどのような記憶をつむぎだすか、またつむぎださせることができるかにあるように考える」と語る小熊英二の言葉の実践編でもあると思う。（M）

『母の遺したもの　沖縄・座間味島「集団自決」の新しい証言』宮城晴美

高文研　初版第一刷　２０００／新版第一刷　２００８

聞き書きにおいては、話者が見たこと聞いたことをそのまま語ったとして、それが真実とはならないことがままあるのではないか。語りはもちろん第一次資料だが、語りを絶対化することには落とし穴もある。本書はそのことに気付いた母である話者と、聞き手の娘との二人三脚でなった書である。

母は座間味島の集団自決で生き残った、数少ない証人である。その証言には、戦後を生きる村人の経済的な事情も絡んでくる。軍の命令なら七歳の「集団自決」した子どもにも遺族年金が支払われた（それは戦後の生活難の住民にとって、大事なものだった）。

ゆえに「集団自決」は梅沢部隊長の直接の命令ではなかったという証言の訂正は、遺族や周囲の冷たい目に囲まれた。また意図しないことではあったが、当時村の助役だった宮里盛秀の命令だったということになり、彼の遺族に迷惑がかかった。

「畳一枚に二一発という砲火の中で、たとえ直接聞いたのが誰であっても、当時の状況の中で考えていかなければ真実を見失うのではないか」という澤地久枝の言葉に励まされて、著者は証言を検証する仕事に取り組む。

母娘にとって証言を覆すことはつらい仕事になるが、当時の村の雰囲気という証拠となりにくい事実を、歴史を振り返って記述する姿勢が、聞き書きという仕事にたずさわるものの襟を正してくれる。

初版から七年、新版がでている。

「なぜ《新版》を出したのか」に著者はこう書いている。

1　集団自決が軍の命令によるものだという新たな証言を得たこと。

2「援護法」適用のために軍命があったと言わなければならないという思い込みは、後で作られたものであったこと（最初から援護法の適用が認められていたことを資料が語っている）。

1については、実際には部隊長から直接には玉砕命令を聞かなかったという母の証言が、新たな波紋を引き起こすことになったが、「決して自決するでない、―生き延びてください」と言ったという部隊長の証言は当時の状況から、考えられないものであること、

2についてはそのために証言をおもんぱかる必要がなかったということを明らかにしている。

著者は琉球大学の大学院に入って、「集団自決」について再調査をしている。

この問題は大江健三郎の『沖縄ノート』を巡る裁判や、「集団自決」に軍の関与を否定した教科書の改ざん問題として、沖縄県民の怒りを結集した、一一万人の県民大会を実現させた。

（U）

『証言　沖縄「集団自決」――慶良間諸島で何が起きたか』謝花直美　岩波新書　二〇〇八

『戦争と戦後を生きる――一九三〇年代から一九五五年』〈日本の歴史15巻〉大門正克

小学館　２００９

本書の特色の一つは、日本の歴史をその中を生きた五人の人びとを軸にして述べたところである。その五人は国籍も出生地も違う以下の人びとである。

小原昭　一九二七年、岩手県和賀郡の開拓農家に生まれる。三六年、両親や村人と満州のホロンバイル開拓組合に移住。そこで父と妹を亡くす。敗戦の引き揚げで、母と弟を失う。姉と和賀町にたどり着き、農業開拓をはじめ、結婚。

高橋千三　一九一九年、岩手県和賀郡の農家の長男として生まれる。父の病死で母と小屋で暮らす。高等小学校卒業後、鉱山で働く。四二年、召集され、四四年、ニューギニアで戦病死。

黄永祚　一九一二年、韓国慶尚北道の小作農家の長男として生まれる。九歳で一家で満州に移住、開墾。帰郷後、小学校卒。結婚後の三四年、単身来阪。深川で古物商となり、妻を呼び寄せたが、東京空襲で身重の妻とその妹を失う。戦後再婚して江東区枝川で暮らす。

後藤貞子　一九二五年、大連生まれ。父の転勤で東京に。高等女学校卒業後、銀行に就職、空襲で関西の親戚を転々とする。敗戦後上京、働きながら家族を呼び寄せる。

陳真　一九三二年、東京で、台湾出身の父母の次女として生まれる。四六年両親と台湾に帰る。四七年、二・二六事件に巻き込まれ中国大陸に脱出。その後、北京で日本語放送のアナウンサーになる。

これらの五人の「聞き取りと記録を重ね合わせることで時代の特質を考えたい」と著者は言っている。

手紙や日記、無名の人びとの川柳や詩を随所に取り入れている。

かつて同じ小学館の歴史シリーズの中村正則著『労働者と農民』（一九七六年）に感動したものとして、期待して読んだ。

本書ではさらに一人ひとりの顔が見える。また国籍も日本に限らず、必ずしも生まれた国に定住してもいない。添えられた地図を見て、人びとの移動の範囲の広さに驚く。そして、この中の誰かは、私の両親や、私の歴史であってもおかしくはないのだと思う。

聞きとりの重点は女性と子どもにおかれている。その結果、時代の流れを身近に感じさせる読みやすい本になっている。

戦前、戦時、戦後を、一つの歴史として「継続と断絶」の面から見ていくこと、また歴史を、アジア太平洋の広がりの中で考えるという、本書のもう一つの特色も生かされている。（U）

V　今を生きる〈2013〜〉

あの日、あのとき、……学校に迫り来る津波を見た。

『16歳の語り部』語り部　雁部那由多、津田穂乃果、相澤朱音

／案内役　佐藤敏郎

『証言記録　東日本大震災（Ⅰ）Ⅱ』ＮＨＫ東日本大震災プロジェクト

ＮＨＫ出版　Ⅰ　２０１３／Ⅱ　２０１４

二〇一一年三月一一日の東日本大震災発生の直後から、現地で取材し放送した、テレビ番組「あの日わたしは」（三六六本）と、「証言記録東日本大震災」（二四本）をまとめたものである。取り上げた地域は北海道、青森、岩手、宮城、福島、茨城、千葉、東京の八都道府県の六六市町村、証言者は五四六人になる。

「あの日わたしは」は五分間の番組だが、一人ひとりの語りをそのままおさめている。「証言記録Ⅰ」は地域をしぼって多数の人びとの証言をまとめた四三分の番組である。「可能な限り多くの証言を集め、事実を再構成する」「人びとが体験したことに耳を傾け、その言葉を記録する」「津波の襲った津々浦々で人びとが何を体験し何を見たのか、そこで生と死を分けたものはなんだったのか、賑(にぎ)わっていた市街地がどのように黒い潮に飲み込まれていったのか、東京電力福島第一原発の周辺で、地震・津波から爆発に至る緊迫した時間がどのように過ぎたのか。一つひとつの断片を集めて、巨大な津波の全体像に立体的に迫る」ことをめざして、多くの人びとの言葉を中心にまとめられた。ＮＨＫの立地条件を生かして、大規模な、しかも短期間にまとめられた証言集である。

このような形で記録がまとめられたことは、一読すれば納得できる。被災した人びとの状況が実に多種多様で、一様にまとめることができないからだ。地域によって違う、漁村あり、農村あり、酪農家あり、しかもその規模が違う、家族構成が違う、幼い子どもや年寄りや病人を抱えていても、その健康状態で違う。逆に小さい子どもがいれば、被曝の恐れが付きまとう、一つとして同じ家族はないのだ。また病院や、老人施設や、学校や、保育園で津波にあった人びとが、その時どうしたか、まさに五四六通りの生ま生ましい事情が語られている。

なかでも慄然とするのは、津波と原発事故に翻弄された福島の人びとである。何の情報もなく、一片の説明もなく、迅速な避難勧告もなく、見えない放射能に追われて、より遠くへと、何度も避難を繰り返した浪江町の人びと。国も県も、当初何の指示も出せず、放射線の数量すら知らされなかった。そして突然の避難命令で、遭難者の捜索は一か月捨て置かれた。腐敗した遺体は見分けも難しかったという。酪農家の一人が、「原発さえなかったら」と書き残して自殺した話はまだ記憶に新しいが、家族同然に共に暮らしていた牛を、汚染されているからと、薬も注射ももらえず餓死させるしか道のなかった飼い主の苦衷は、察して余りある。

今も、失った家族や、家や仕事のことを考えて、立ち直れない人がいる。仮設住宅の不自由や、孤独の中で、亡くなる人もいる。二〇一五年に、Ⅲ巻が出ている。

当初ＮＨＫには、後の教訓とするという意図があったようだが、本書はそれをはるかに超えてしまった。

結局、自分の命は自分で守る、国も自治体も守ってはくれないという結論である。（U）

『飯舘村を歩く』影山美知子

七つ森書館　２０１４

二〇一二年四月二五日、著者は初めて飯舘村（いいたてむら）を訪れた。飯舘村の人たちがどんな生き方をして来たか、それを首都圏の人たちに伝えなければならない、それには自分の目で確かめるしかないとの思いからだったという。公共交通機関が寸断されていたので、自ら運転して高速での東北道、さらに山道を走っての福島通いが続いた。それは、原発立地点から遠く離れた飯舘村が全村避難を強いられる事態になった衝撃に加えて、その後、原発再稼働への動きが目立ち始めたことに突き動かされての行動だった。

まず、飯野町に移転した村役場に行き、「グルッと！　いいたてマップ」をもらい、名前しか知らない佐野ハツノさんに会いに、松川第一仮設に向かう。急な山道の先にあった。途中には放射線量が高いところ、帰宅困難区域に指定されたところもある。

佐野ハツノさん（一九四八年生まれ）は第一回「若妻の翼」のメンバー。仮設で「までい着」を縫う会を立ち上げた行動力ある人。「若妻の翼」に行くまでの逡巡（しゅんじゅん）、家族の後押しのこと。「翼」で人生観が変わったこと。今までの常識で、ヨメはひたすら仕える者、我慢する者と思ってやってきたが、それは間違いだと知る。農業委員三期。会長も。役員の挨拶も決まり文句ではなくて、自分の言葉で書きたい。女だって意見を聞いてもらえることを誇りに思った。

民宿も始める。ハツノさんの母、義母にも会って話を聞いている。農村の女性の暮らしがその話のなかから、自然に浮かび上がってくる。

「男のすることは何でもしました。乳搾り（ちちしぼ）も畦塗り（あぜぬ）も、男ができることで女ができないわけはないと思っていました。」（髙橋ちよ子さん）

男性、女性、年代もさまざまな人びと五三人から、話を聞き、飯舘村の歴史、風土がよびさまされている。二つの村が合併してできた飯舘はそれぞれの村の地域間意識が強く、公共施設（学校・医療施設・役場庁舎・特別養護学校など）も二か所に作るなど、異常事態だったが、冷害による打撃、過疎の予想以上の速度での進行からくる危機感で、協力し合う態勢ができた。そこへの原発事故による全村避難だった。

もっとも恵まれた条件にあるという吉倉住宅で、長泥の区長、鴫原良友さんの話。

「長泥の人たちはもう帰れないと思っているから、除染なんてムダ金遣ってないで、補償、賠償を出して、住むところを作らせろっていうんだが。家賃もなし、月々一〇万（精神的補償）もらって、誰が出て行くか？　年寄りは村のバスで医者に行かれる。医者もタダだべ。五年もこんな生活したら、人間腐っちゃう。子どもは帰れない、大人も七割は帰れないだろ。オレんちは築六〇年、土地も評価が低い。その補償で建てられるわけがない。ウサギ小屋みたいなの（村が）作っても入る人いないよ。ここもいつまでいられるのかわからないが、今の生活のしやすさが、やる気をなくさせて、ダメにしてしまう。

オレはモルモットだと思っているよ。放射能が福島だけでよかったと思う。ずっと先をみるしかないよ。それを見せないようにしている。見るためには今に絶望することが先決だ。農業はやめるという決断はみんなついた。ただ、ワガの財産、土地、文化、先祖から受け継いだものを、ワガの代でなくしたくないと思うのよ。……村長は学者やよその人を連れてきてシステムを作る。明るい話題作りばかりで、それで復興か？　違うだろ。」

引用が長くなったが、避難者の本音が凝縮されていると思う。

「飯舘村の無念を忘れてはいけない」と、首都圏の人間が本気で思うように語るためには、自分自身が、深いところから村を知らねばならない。村の歴史と風土を知ること。その風土の中で長い人生を送ってきた人の生き方を知ることが必須（ひっす）と、村に何度も通った著者の思いが、静かに伝わってくる一冊である。（M）

『生きて帰ってきた男――ある日本兵の戦争と戦後』小熊英二

岩波新書　2015

著者の父謙二からの聞き取りである。著者の父は一九二五年生まれ。「都市下層の商業者」で、シベリア抑留体験者である。これまでの聞き書きがどちらかといえば、高学歴の中産層が多かったので、珍しい記録である。

また、戦前と戦後の生活史が連続して描かれている。父を通して、同時代の経済、政策、法制などが描かれている。いわば「生きられた二〇世紀の記録」である。

父は二〇歳から三〇歳までのほぼ一〇年間を、戦争とシベリア抑留と、結核療養所で過ごしている。

三〇歳で片肺になって療養所を出てから、技能も職歴もなく、貯金もない父は、さまざまな職を転々とする。また人口過密の東京で、住む家も転々としている。それ自体がどんな小説より波乱に富み、びっくりさせられることの連続である。

そして高度成長の中で、スポーツ用品店に勤めたことが、のちの事業の展開を拓いていく。そこには、世の中や人を見る目の確かさがあったことがわかる。ここには戦後のどさくさを生き抜いた多くの庶民の姿が重なる。

語り手としての父は「記憶が鮮明で話が系統的」である。優れた観察力と、過剰な思い入れで粉飾しない客観的事実を語る、優れた語り手である。

また聞き手のほうは、社会科学を研究し、父の軌跡を、社会構造の変化の上に位置づけることができた。語り手と聞き手の、この上なく幸せなコラボレーションといえる。

しかし二〇〇三年に聞き取りをした時は、シベリア抑留の経緯を聞いただけで、収容所の経営についてすら聞いていない。その観点がなかったのだ。そして一五年、聞き手の側が知識と関心を広げたことで、本書が生まれ、父を通して日本の歴史が鳥瞰（ちょうかん）された。まさに聞き書きとは、語り手と聞き手の相互作用で作られることを実感させる。聞き手の側に聞く力がなければ、語り手から記憶を引き出すことはできないのだ。

聞き書きをしたことで、当然ながら父との関係は近しくなった。父の発言や行動の意味が理解しやすくなった。聞き手にとっても、父の歴史を聞き、自分の存在根拠を明らかにすることは、意味のあることだ。過去の経験を聞き、意味を見出し、長らえさせることで、私たちは歴史とつながっていく。

両親や、祖父母や、近隣の人びとの話を聞くことの大切さを本書は教えてくれる。優れた聞き手を待っている、埋もれた歴史の体験者はまだたくさんいるのだ。

本書は優れたオーラル・ヒストリーであり、民衆史、社会史である。（U）

『一〇〇年前の女の子』（母の記録）船曳由美　講談社　二〇一〇／文春文庫　二〇一六

『介護民俗学へようこそ！「すまいるほーむ」の物語』六車由実（むぐるまゆみ）

新潮社 2015

前書『驚きの介護民俗学』（医学書院 二〇一二）で、「老人ホームは民俗学の宝庫」と、大学で八年間民俗学を教えたのち、老人ホームで働き始めた民俗学者は語った。本書はその大規模施設から、定員一〇人のデイサービス施設「すまいるほーむ」に転職しての実践編。

介護施設での聞き書きの実践は、それでなくても多忙な場所で可能なのか、まして小さなデイサービスでは、人手も足りず、難しいのではないかとの危惧（きぐ）が先に立ってしまう。

著者は改めて聞き書きの時間を取ることはできないと思い、どこでも聴き取りを始める。食事や入浴の間にも話されたことを記憶する。まず「思い出の味」を聞き出す。

京城（けいじょう）の料亭育ちの清子さんの、立春に、板前さんがたくさん作って、稲荷神社やご近所さんに配ったお稲荷さんの味。

ハルコさんは、結婚後働きに出た魚の開きを作る工場で、ともに働いていたおばさんに教えてもらった白あえ。ハルコさんは、小学校の高等科を卒業して二日後に名古屋の挺身隊（ていしんたい）に働きに出て、母親から料理を習う時間がなかったのだという。挺身隊では風船爆弾を作った。

終戦直後によく母親が作ってくれたすいとんが、思い出の味というゑみ子さんは、娘のころの「恋バナ」を語る。

飲み屋の女将をしていた貞さんは、山梨の夫の実家で作ってくれた「ほうとう」をホームのみんなで作ることになっていた日の朝、転倒して、病院に救急搬送される。そして心臓疾患があるため手術はできないと断られ、療養型の老人病院に入院する。そこは行き場のない高齢者の最終受け入れ先で、刺激のない生活で心身機能が衰え、寝たきりになって亡くなる人が多い。

料理にはそれぞれのこだわりがある。それをホームのみんなで作って食べることは、思い出を共有することになり、別の思い出を呼び覚ますことにもなっていく。

なかでも素晴らしいのは、靖子さんの人生を聞き書きして、「人生すごろく」をスタッフが作り、それでみんなが遊んだことだ。駒を進めた人が、その場面ですることや、体操などが組み込まれていて、みんなで楽しみながら、靖子さんの人生を共有することになった。

介護する人とされる人との関係を越えて、人間としての尊敬や共感が介護の現場を変えていく実践が、ていねいに語られている。「おじいちゃん、おばあちゃん」とひとくくりにされて、それまでの人生が一顧だにされない場所が、居心地の良いところであるわけがない。

人が老いるとはどういうことか、自立した老人から「静かに下降していく老人」への介護の在り方なども考えさせる。もとより高齢者にとって「死」は隣り合わせの現実、そこへ至るまでの様々な問題も含め、静かに皆で受容していく過程も印象的である。小さなホームの実践に胸が熱くなる。（U）

『原発労働者』 寺尾紗穂　講談社現代新書　２０１５

六人の原子力発電所で働く人びとに会って話を聞いている。

1　表に出てこない事故―弓場清孝さんの場合

取材時六〇歳、二〇〇七年から〇九年まで柏崎刈羽原発で働く。電気工事士として原子炉建屋からのびる地下通路でケーブルを交換する仕事。放射線管理区域外、保全区域での仕事だ。しかし地震で五、六号プールの水がトンネルの中に入ってしまい、バケツで水を掻き出す。その後、高血圧と難聴と、骨髄炎の疑いが診断されたが、放射線管理手帳がなく、被曝線量をはかることができない。被曝の想定がされていない区域の仕事だからだ。

2　「安全さん」がみた合理化の波―高橋南方司さんの場合

一九八九年から二〇一一年三月一一日まで二二年間、福島原発で働く。最初は照明の基盤工事、やがて「安全業務」の仕事。労働者の監視と注意だ。実態は、線量メーターをはずすのも黙認、「目安箱」に意見は出さないと、面倒は起こさないという態度で、徹底している。トイレに行く時間がないので、隅のほうでしていた人もある。最近、定期検査の時間が短縮されて、事故やけがが増えた。

3　働くことと生きること―川上武志さんの場合

各地の原発で七年働き、タイに渡る。一九九八年結婚。帰国し、五年後、職を失い浜岡原発で働く。二〇〇八年原発をやめた。〇九年がん発病、被曝労働によるものとして、〇九年に労災認定を求めたが却下される。再審請求も一三年に棄却された。

4　「炉心屋」が中央制御室で見たもの―木村俊夫さんの場合

「東電をやめた技術者が高知で自給自足の生活に取り組む」と有名になった。東電学園（東京電力運営の職業能力開発校）、東電と、エリートコースを歩んだ技術者だ。柏崎刈羽原発で一号機の試運転と、核燃料の管理に五年半従事。そこで使用済み核燃料の処分が何もされていないこと、日常的なデータ改ざんを目にしてやめる。今は自給自足の生活だ。

5　そして三・一一後へ―水野豊和（仮名）の場合

二〇一〇年から福島原発で働いている。建屋で巨大なタービンを分解し、磨いたりする保守点検だ。ここで燃料プールに落ちたものを、拾いに入る外国人を見た。二〇〇から三〇〇ミリ被曝するという。二〇〇から三〇〇万円を手にし、何回か入って帰国するという。会社の隠ぺい、搾取、ごまかしは続いている。

6　交差した二つの闇―田中哲明さん（仮名）の場合

二〇一二年から一〇か月福島第一原発で働いた、被曝線量は通算二〇ミリシーベルト。おもに前線から戻ってきた作業員の服を脱がせたり、除染をする仕事だ。汚れたものを水や雑巾で平気で洗っていた。契約が変わり解雇。個人で入れる労働組合ユニオンに入会、喉の腫れ、鼻血、血尿、倦怠感はあるが、今は生活保護を受けて、家もある。

これだけでも原発の仕事が多種多様であり、同じところでも、日々の条件で、被曝の線量など一様でないことがわかる。

一人ひとりの思いが吐露されているのは、一九八一年生まれのシンガーソングライターの、優しい語りかけによる聞き方のせいかもしれない。（U）

『ひとりの記憶　海の向こうの戦争と、生き抜いた人たち』橋口譲二

文藝春秋　２０１６

一九九五年から二〇〇〇年にかけてインドネシア、サイパン、ポナペ、台湾、韓国、中国、ミャンマー、ロシア、カナダに暮らす人びとに取材。戦前、戦中、戦後を生き抜いてきた八六人の日本人に話を聞き、写真を撮っている（キューバは九四年に別途取材）。

ここには一〇人の話がまとめられている。移民の人たちが生きる場を求めて、海を渡った背景、日本が戦争につき進んでいった社会状況が、それぞれの話の中から、浮かび上がってくる。過酷な時代を生き抜いてきた一人ひとりに、遠い昔を生きた人たちとしてではなく、身近な隣人として敬意を込め、寄り添い、手渡された言葉を、静かに受け止めている。

冒頭に登場する笠原さんは、いくつもの人生を生きた。駆け落ちした妻と働いて薬局を開き、二女を得た。妻を病気で失った後は、七歳と五歳の二女をおいて、インドネシアへの徴用に応じる。戦後、朝鮮へ、従軍慰安婦を帰国させる任を命じられるが、命の危険を察知して部隊から逃亡。インドネシア独立戦争に加わる。インドネシアの漢方薬を充実させ、医者のいない村々で、病気の村人を助け、医療従事者を育て、天然痘からスマトラ島を守った。現在は二〇〇人の従業員を雇用する経営者。

最後に登場するのがキューバの原田さん。首都ハバナの対岸にあるピノス島（『宝島』の舞

台になったところとか）。この荒れた土地で、働き者の妻とともに、懸命に働き続けた。写真撮影は、亡妻の肖像のレリーフとともに。「これが女房です。よう働いてくれました。こいつ死ぬまで幸せということはなかったけれども……私はとっても女房を好いております」。

登場人物の略歴と、ひとこと。本書にはそれぞれの人の人生を物語るポートレートが添えられている。

笠原晋（しん）さん（インドネシア）一九一〇年、横浜生。薬剤師。薬草園経営。「日本は変わった。これは帰っても日本の方と全然付き合いができないと思っちゃったですね」。

井上助良（すけよし）（インドネシア）一九一〇年、愛媛生。通訳。「その当時は頭がこんがらかっちゃってですね、間違ったですね。後悔をしているけど後悔しても間に合わない」。

下山文枝（台湾）一九一五年、東京・本郷生。白木屋、郵便局勤務。「子どもたちが大切にしてくれる。苦労した甲斐がありますよ。なるようにしかならないと思っている」。

平得（ひらえ）栄三（台湾）一九二四年、沖縄生。元漁師。「漁師というのは本当にキツイ。どんなことがあっても、歯を食いしばってやり抜いてきた。それだけです」。

米本登喜江（韓国）一九一九年、朝鮮生。総督府税務監査局勤務。「日本は祖国だけど、韓国は私の国というよりも、私の血の流れている二世三世が住んでいる国です」。

中村京子（中国）一九三一年、福岡生。看護師。「私、初めて本当の戦争を見たんですよ。

国民党と八路軍の戦争ですね」「私たちの国籍はみんな違うんですよ。死んだ主人は中国国籍、私は日本、息子夫婦はアメリカ、娘はスイス」。

金城善盛（サイパン）一九二三年、サイパン生。（両親は沖縄からの移民）。観光ガイド。「戦争に行った僕が生き残って、島に残った誰も生きとらん。出征した頃は戦時体制ですから、船が出るのも秘密で、バンザイとかそういうの、なかったですね」。

秋永正子（ポナペ）一九二五年、ポナペ生。父日本人（佐賀）、母ポリネシア人。「昔の、戦争前と終戦後、本当に変わったというのがはっきりしていますね。日本統治時代はとっても街が綺麗だったんですよ。その当時は二万人くらいいたんでしょうかね」。

佐藤弘（ロシア）一九二七年、北海道生。樺太で戦後逮捕抑留。道路補修作業員。「今考えれば、ああ、あの時にすぐに帰ればよかったなと思うんだけども、その時はそういう考えはなかったもの。みんな子どものために残っている人たちだよね」。

田原茂作（キューバ）一九〇四年、福岡生。二一歳のとき、キューバに移民。農業。「ただ生きていくことの辛さ。子どもに食わせることの辛さ。子どもは二年にひとりずつ生まれるという辛さ」。（M）

『戦争を悼む人びと』シャーウィン裕子

高文研　2016

著者は日本の大学を卒業後、渡米し、アメリカに三〇年、スイスに九年、現在はイギリス在住。日本に帰国するたびに、経済的繁栄に目を見はった。イギリスで、元日本軍の捕虜となった兵士と出会い、聞き取りを始めた。泰麺(たいめん)鉄道（タイとビルマをつなぐ鉄道）や、日本国内の収容所で働かされ、戦後半世紀を過ぎても、日本人の顔を見れば震えだすような人たちだった。戦後日本人は戦争について多くのことを語ってきた。しかし、それは、「こんなにひどい目に遭った」と受動態で語ってきたのではなかったか？

例えばシベリアに抑留された人たちは、酷寒と飢餓、重労働の悲惨は語っても、自身が満州で何をしたかは語ってこなかった。例えば、中国で刺突訓練で虐殺された農民の悲しみと怒りに、どれほど想像力を働かせてきたか。著者はこのことに思いいたり、日本が戦ったアジア・太平洋戦争の実相を知るために、さらに元日本軍の兵士への聞き取りを行なう。そのうちの六人の聞き取りを収録している。

湯浅謙さんは軍医として中国戦線で生体解剖に関与し、山西省太原の戦犯管理所に収容された。はじめは「自分のしたことは軍の命令に従ったに過ぎない」と思っていた。しかし、彼の生体解剖の犠牲者の母から手紙を受け取って、「自分は大事な人間の人生を奪った」と、愕然とする。以後の人生は贖罪の旅となり、戦後は六〇〇回に及ぶ講演を行ない、自分の罪が二度と繰り返されないようにと語り続けた。彼の証言は、医者の仲間から猛攻撃を受けたが、やめなかった。「戦争がどのようなものか知ることが何よりも重要であると思う。そこから正しい歴史について考えを深めてもらいたい」と。

戦後加害の事実を証言していた土屋芳雄さんは、それでも良心の呵責に苦しみ続け、遂に決心して中国にわたり、最も心痛めていた被害者の墓前で頭を下げた。被害者の娘に「お詫びしてから死にたいと思ってやってまいりました」と告げ、土下座した。娘は親のなき後の過酷な生活を語りながらも、土屋さんの手をとってくれたという。

戦後の日本は、敗戦という不名誉な歴史の一章を閉じてしまおうと必死だった。敗残兵は故国で歓迎されなかった。多くの元兵士は自分たちの行為・見聞について口をつぐんだ。

天皇の戦争責任については退位の可能性もささやかれたが、天皇自身はその意思表示をしなかった。

歴史家ハーバート・ビックスは「天皇は日本人が戦争責任を考えることを意識的に抑圧する絶好の存在となった。なぜなら、戦争における天皇の中心的役割を追及しない限り、国民は自分たち自身の役割を問い正さずにすんだからだ」と書いている。

そんな戦後の日本の中で、「戦犯の子」という十字架を背負って成長した、駒井修さんのような人がいた。シンガポールのチャンギ刑務所で絞首刑に処された父の足跡をたどり、この事件で重傷を負いながらも生き残った、イギリス兵士ローマックスさんを探し、ようやく会うことができ、父の罪を詫びた。駒井さん七〇歳、ローマックスさん八九歳だった。

駒井さんは子煩悩な父が、なぜ死刑に処せられるほどの戦争犯罪人となったのか、父は何をしたのか、考え続けた。戦友会に同行し、父の墓参もした。そのときに事件の真相を父の戦友たちに聞いたが、誰も話してくれなかった。そこでシンガポール裁判の議事録を入手し、父が二人の捕虜を撲殺、七人を虐待し、重傷を負わせた記述を読み、愕然とする。同時にイギリス人犠牲者の遺族の姿が目に浮かんだという。そして謝罪と和解への道を歩み出す。国家の罪を個人が贖罪するという痛ましい行為であるが、こういう個人個人がようやくこの国を支えているのかもしれないと思う。（M）

『16歳の語り部』 語り部──雁部那由多、津田穂乃果、相澤朱音／案内役 佐藤敏郎

ポプラ社 2016

語り部の三人は、東日本大震災当時、津波で大きな被害を受けた宮城県の東松島市立大曲小学校の五年生だった。その小学生たちが今は高校生になり、あのときの経験を語り続けている。彼らは「僕たちが、あの日、あのとき、何が起こったのかを理解できた最後の世代」であると、語り部になることを決意する。そこには案内役となった国語の教師がいた。

雁部那由多は、「あの日、あのとき……学校に迫り来る津波を見た」「波の色はどす黒く、重油とヘドロが混ざったようなもの」で、「たった一メートル先を流されていく」人たちを見た。家族とともに小学校に避難したが、教室にぎゅう詰めの避難生活で、はじめ食料は、一人食パン五分の一枚、飲み水はコップ一センチ、毛布は二人に一枚だった。おなかがすいて、流されて転がっていたインスタントコーヒーの瓶を開けて、少しなめると、「塩辛く、どぎついヘドロの臭(にお)い」がして、おなかの具合が悪くなった。テレビでは、救援物資は「整列して順番を待ち」配られたと報道されたが、「そんな美しいものばかりでは」なかった。自宅は骨組みだけで一階はヘドロに埋まったが、父親は二階に寝泊まりし家財道具を泥棒から守っていた。学校が再開されたのは四月二一日。クラス二八人のうち登校したのは二三人、四人は転校し、一人は「行方不明」だった。「震災の話はしないように」と先生は言った。

三年後、中学生になった雁部は「みやぎ鎮魂の日シンポジウム」に出席した。そこでは同じ年頃の中学生が震災の体験を語っていた。「どうして震災の話をしてはいけなかったのか」。「その体験を、人に伝える手段がある」ことを知り、「ありのままを語っていいんだよ」という言葉で迷いは消えて、人前で話し始める。中学二年で生徒会長になり、同じ執行部の津田穂乃果や相澤朱音とともに、県内だけでなく他県との交流の中で、震災体験を語る機会が増えていった。二人も「話したら気持ちがラクになった」「体験を共有することに意味がある」と感想を述べる。二〇一四年、佐藤敏郎先生が赴任してきた。雁部はやがて「話す」から「伝える」ことを意識するようになる。そして「一六歳の今しか語れない言葉」で語りたいといっている。

津田穂乃果は、「あの日、あのとき、……同じクラスの数人と音楽室にいた。大きく揺れ動くピアノの下に隠れながら」「でも、津波が家を押し流し、私が暮らしていた家は跡形もなくなった。私はずっとイライラしていた。……今は言葉が人を傷つけることも、人を助けることもできると知った」という。

相澤朱音は、「あの日、あのとき、私は揺れる教室の中で、妙に落ち着いていた。……津波が去ったあと、親友は亡くなった。……私の体験を真剣に聞いてくれる人がいた。……この体験が誰かの役に立つのなら、それでいいんだ」という。

一六歳の語り部たちは、オーラル・ヒストリーのなかでも最も若い語り手である。(O)

『知らなかった、ぼくらの戦争』アーサー・ビナード編著

小学館　２０１７

編著者のアーサー・ビナードは知られているように、アメリカで大学を卒業し、一九九〇年に来日、日本語で詩やエッセイを書いている。本書は二〇一五年の文化放送番組「アーサー・ビナード『探しています』」のうち、二三人の戦争体験を採録し、再構成したもので、一六年「ラジオ報道番組」最優秀賞を受賞した。

まず「戦後ってなに？――前書きにかえて」を読んで、「目からウロコ」的ショックを受けた。私たちが当たり前のように使っている「戦後」という言葉が、アメリカ人にとっては「その『戦後』って、いつの戦争のあと？」となることに……。

私たちがよく知っている朝鮮戦争、ベトナム戦争、湾岸戦争などのほかにも、「第二次世界大戦の終わりから現在まで、大小合わせて計算してみるとざっと二百回以上、米政府による『戦争』が行われて」きており、アメリカは「戦後のない国」だという。

そして日本語の「戦後」という言葉がはらんでいる矛盾が見えてきて、日本人の「戦争体験」を聴こうと決めたと書いている。

第一章「『パールハーバー』と『真珠湾』と『真実』」では、愛国少女だった人、ゼロ戦パイロットとして真珠湾攻撃などに参加した人、カリフォルニア州で生まれ、クリーニング店を営

んでいた二世など。

第二章「黙ってまっていたのでは、だれも教えてくれない」では、毒ガス工場で働いていた女学生、ニューギニアに軍属として赴任、ＢＣ級戦犯となった人、硫黄島に通信兵として派遣され、九死に一生を得て捕虜となった人など。

第三章「初めて目にする『日本』」では、満州で敗戦を迎えた漫画家ちばてつや、沖縄県久米島生まれの大田昌秀、鹿児島県喜界島に生まれ、戦後アメリカに留学し、英語で詩を書いている人など。

第四章「『終戦』は本当にあった？」では、戦争中男の子はみんな「兵隊さんになってお国のために尽くします」という時代に、「噺家になります」といった落語家の三遊亭金馬、おなかの調子が悪くて学校を休んだ日、広島の自宅でピカにあった人、長崎で昼飯の「だご汁」を作っているときピカドンにやられた人など。

第五章「一億総英会話時代」では、戦後ＧＨＱに就職した女性、日比谷公園内の松本楼に生まれ、戦後ＧＨＱに接収されて、東京の中の「外国」に住んだという人、「『反戦映画』を撮ったことがない」、それは「そもそも『平和とは何か』が難しすぎるから」というアニメの高畑勲監督など。

日本人とは違う視点で「日本の戦中と戦後」を捉えている、貴重な聞き書きであることと、聞き手であるビナードの、解説と感想が随所に挿入されていることで、このオーラル・ヒストリーを新鮮な感覚で読み終えた。

聞き書きでは、聞き手の個人的感想ないし意見をさし挟まないのが常道とされてきたが、読者にその話を提供する場合は、聞き書きの対象、内容などによって、聞き手（書き手）の側の意見や解説などを入れることの重要性を、本書によって気づかされたように思う。（O）

『ホロコースト　女性6人の語り部』大内田わこ

東銀座出版社　2017

この本は「第二次世界大戦時のナチス・ドイツの蛮行を日本の人びとに伝えることをライフワークとしてきた」著者が、「ドイツやポーランドでの取材を通じて出会った」六人から聞いた物語である。

「一話　六七年の沈黙を破って　ヘレナ・ニヴィンスカ　一〇二歳」は、アウシュビッツに強制収容されて、生還できた数少ない一人。すでにその体験が、『強制収容所のバイオリニスト　ビルケナウ女性音楽隊員の回想』として出版されている。

改めて大内田の問いに、「あそこでは非人間的なことが日常茶飯事でした。おびただしい数の囚人バラック、ガス室、焼却炉、……朝から晩まで人を殺す。焼却炉の煙は昼も夜も……ベッドがわりに湿った地面に並べられたレンガの上に……たった一枚の毛布……列をなしてノミやシラミが……トイレも洗面所もなく……慢性的に続く飢餓」。バイオリニストとして抜擢（ばってき）された音楽隊での生活は、精神的には一層辛い仕事だった。

「二話　アンネのまなざし今に　ベロニカ・ナーム」ベロニカは、ベルリンの繁華街のそばにあるアンネ・フランクセンターの責任者で、ここはベルリン市の文化遺産に指定されている。

「ここは歴史を知る場所ではなく、歴史に参加する場所」で、「さまざまな人種が暮らすこの国で、あるいは地球上で、人間が平和に、そしていたわり合いながら生きていくにはどうすればいいのか」を、一緒に考える場所だ。たくさんの若者たちが訪れて、さまざまな国の言葉で、アンネへの手紙が書き残されている。

「三話　アンネ・フランクの最期を語り続けて　ステファニー・ビルブ」　ドイツ北西のベルゲン・ベルゼン強制収容所の跡地に建てられた国立の博物館で、チフスで亡くなったアンネ姉妹のことを、たくさんの生徒たちに語っている。

「四話　ナチスに負けたくなかった　インゲ・ドイッチュクローン　九三歳」「戦時下のベルリンで名前を変え、知人の家を転々としながら生き延びた」。ナチスの勤労奉仕に駆り出されて、逃げ出すために考えたわざとはいたハイヒール作戦で膝を痛め、「出勤不能」という診断書をもらったと話す。

「五話　命かけた女性たちの気高さ　マルタ・シャート」『ヒトラーに抗した女たち　その比類なき勇気と良心の記録』を書いた女性。乳母車にビラを隠して運んだり、ユダヤ人家族をかくまったり、ＢＢＣ放送をドイツ語に訳したりと、さまざまな抵抗運動で死刑判決を受けた女性たちがいた。

「六話　ヌスバウムは生きている　インゲ・イエナー」　ドイツ北西部の町にあるヌスバウムハウスは、ユダヤ人というだけで殺された画家、フェリックス・ヌスバウムのために市民が建てた美術館。インゲは元館長。「彼の絵はリアルタイムで、あの時代の悲劇を今日に伝える貴重な記録です」。

著者は「彼女たちの話に耳を傾けて下さい。人類史に二度とあってはならない悲惨な記憶を過去のものとしないで、しっかり見据えてください。私たち日本と世界の平和な未来のために」と書いている。

「ナチスの蛮行」のみならず、「日本軍国主義の蛮行」を私たちは忘れてはならないし、次世代にしっかりと語り継いでいかなくてはならないと思う。（O）

『沖縄県史　各論編6　沖縄戦』沖縄県教育庁文化財課史料編集班　編

沖縄県教育委員会発行（非売品）2017

『沖縄県史』は、一九六五年の米軍統治下から施政権返還後の七七年にかけて、全二四巻（全二三巻、別巻一沖縄近代史辞典）が刊行されている。その中で七一年から七四年にかけて『第九巻、一〇巻　沖縄戦記録一、二巻』が刊行された。これらは各地をくまなく回り、「それまで取り上げられることのなかった住民の証言を中心に据えて沖縄戦の体験を明らかにして」、沖縄の戦争証言の先鞭（せんべん）をつけたものである。これを皮切りに、各市町村の住民証言の聞き取りや、資料の収集が行なわれ、沖縄戦研究は飛躍的に進展を見た。

本書はそれを踏まえ、「住民にとって沖縄戦が何であったのか、これからの継承のあり方」をのべている（発刊の言葉、翁長雄志）。凡例では次の三点をうたっている。①最新の「沖縄戦」研究の成果をふまえて論述する。②県史・市町村字史の蓄積と成果を踏まえて論述する、③住民視点、証言を大事にして論述する。

全体は次の五部からなっている。

第一部　沖縄戦への道、第二部　沖縄戦の経過と特徴、第三部　沖縄戦（人びと）の体験、第四部　沖縄戦の諸相、第五部　沖縄戦の戦後処理と記憶・継承

第三部　沖縄戦（人びと）の体験には、
第一章　住民の体験として、住民、障がい者、ハンセン病者
第二章　軍事動員された人びととして、軍事動員の仕組み、沖縄主神兵士、防衛隊、学徒隊、義勇軍・救護班・炊事班、女子勤労挺身隊
第三章　疎開として、学童疎開、県外一般疎開、やんばる疎開、台湾疎開
第四章　占領と住民として、収容所、学校のはじまり、引き上げ、戦争孤児
第五章　官公庁職員と報道陣として、県庁・警察・市町村、御真影奉護隊、刑務所・気象台・新聞・ラジオ
第六章　日米軍人の体験として、日本軍人、米軍人が取り上げられている。
第五部　沖縄戦の戦後処理と記憶・継承には、
第一章　戦時下の米軍基地建設として、米軍政のはじまり、米軍基地建設、基地にきえた集落、不発弾
第二章　援護と追悼・慰霊として、援護法、遺骨調査と収集、慰霊祭と慰霊の塔
第三章　教育と継承として、平和の礎（いしじ）、博物館・資料館、沖縄戦と教科書、学校での平和教育、地域における沖縄戦の継承、戦争遺跡、沖縄戦記録・研究の歩みとなっている。
根こそぎ動員で住民を戦争に巻き込み、玉砕を美徳として死を強制した日本軍の実態が明らかにされている。そのような状況下で、戦闘能力のない幼児や高齢者、女性、病人、障がい者

は一顧だにされなかった。

やっと逃げ延びた壕（ごう）を追い出され、食料を奪われ、スパイとして惨殺された住民の証言がある。強制された「集団自決」「強制集団死」の記録もある（第四部　第三節）。朝鮮人軍夫や慰安婦の記録もある。

最後に、平和の礎や平和記念館の展示につなげて、平和への思いがそくそくとつたわってくる構成になっている。（U）

『核実験地に住む　カザフスタン・セミパラチンスクの現在』アケルケ・スルタノヴァ

花伝社　２０１８

著者の生まれたセミパラチンスク市は、ロシア連邦の南、中国の西に隣接、一九九一年カザフスタン共和国として独立する。それまで、旧ソ連領最初の核実験だった四九年から八九年まで、四五六回の核実験（地上三〇回、空中八六回、地下三四〇回）が行なわれた。人の住まない大草原があったのにだ。

旧ソ連政府は極秘で核実験を行ない、人びとを安全な場所へ移住させなかった。それどころか、実験はわざわざ収穫の時期に、雨降りの、風の激しい日を待って行なわれた。雨と一緒に降下するものを調べるためだ。実験用に意図的に残され、被爆させられた人びとがいた。

その二〇〇〇人以上の人びとの名簿は以前は病院に保管されていたが、現在は失われている（モスクワに持っていかれたのではないかという）。ウラル村に残された四〇人は全員が、がんで亡くなった。そのうちの一人がメモを残していた。

「ヘリコプターでやってきた軍人が、避難訓練を行なうと、村人全員を集めて、トラックに乗せた。そのうち四〇人は村に残るように命令された。核実験場に近い草原に待機するように言われた。しばらくして爆弾がさく裂した。戻ってきた軍人たちは防護服を着ていた。機械で体を調べられた。今から思えば放射能を測定していたのだ。その後、毎月血液検査を受けた。

あの日以来具合が悪くなった。髪の毛すべてが一日で抜けた人もいた。歯が取れた人もいた。レニングラードの病院へ行かされ検査を受けたが、治療はされなかった、薬ももらわなかった。わたしたちは「実験台」にされたのだ。」

著者はその長男にインタビューし、残された四〇人の名簿を見せてもらった。そこには名前、職業、死因、死亡した年月日が記されていた。ペレストロイカ以後、様々な資料が公開されている。しかしこれらは国家、権力者によって編纂（へんさん）されている「正史」である。知らぬ間に被爆させられ、無念の思いで死んでいった被害者の気持ちは、生き残った人の証言で知るしかない。「住民の証言は歴史的財産である」と考えた著者は、〇九年から六回にわたり八〇人の聞き取りを行なった。対象者は核実験が行なわれた村に居住し、現在も住んでいる五〇歳以上の人とした。

インタビューはカザフ語とロシア語で行なわれた。調査には許可証が必要で、必ず職員が同行する。そこで親類が住んでいる村や友人を訪ねて一対一のインタビューを行なった。

女性には生殖器疾患や、異常分娩（ぶんべん）などが多い。目や鼻のない赤ちゃん、指の数が多かったり、腕がない子が生まれたという婦人科医の証言もある。妊娠しても中絶を繰り返す女性が多い。男性の性的不能からくる精神病、うつ病、自殺なども多い。

女性からの証言が聞けたのは、やはり聞き手が女性だったからだろう。「彼らの証言を記録し、保管することは、歴史的遺産として、同じような被害から多くの命を救うための重要な知恵となるだろう」と著者は結んでいる。

著者は「ヒロシマ・セミパラチンスク・プロジェクト」に選ばれ、広島の山陽女学園で一年間の高校生活を送った。この市民団体と山陽学園は、二〇〇〇年からこのような留学生の受け入れを続けているという。いったん帰国後、〇八年、文科省の外国人研究生として一橋大学に留学する。

本書は一三年の修士論文を修正したものである。草の根の交流がこのような成果を上げたことを喜びたい。（U）

『〈化外〉のフェミニズム――岩手・麗ら舎読書会の〈おなご〉たち』柳原恵
ドメス出版　2018

〈化外〉とは、聞き慣れない言葉であるが、ここでは「文化の果てる地」、「辺境」、「後進地」とされ、中央の政治・文化圏からふるい落とされてきた東北・岩手を指している。

疎外され、収奪の対象として存在し、周縁化された地〈化外〉、の地に暮らす女性＝おなごたちはいかに生きてきたのか。彼女たちの軌跡をたどり、今の日本のフェミニズムのありようにも迫っている。

本書はリブを含めたフェミニズム運動を、東北を覆うさまざまな関係の網の目のなかで、女性たちがいかに生きてきたのかを問い直す試みでもある。

東北の地で、著者は「おなごわらし」として育った。「娘を大学にやっても結婚したら終わり。金をドブに捨てるようなもの」という人もいる中での大学進学だった。進学した首都圏の大学で、東北を蔑視(べっし)する他地方出身の学生の言動に違和感を感じるが、同時に、生まれ育った東北の「後進性」、「保守性」に気づき打ちのめされるという、内なる東北差別を身をもって確認させられる経験もした。

著者が「岩手にウーマンリブの運動はあったのか」という素朴な疑問から始めた調査から、岩手県北上市を拠点として、フェミニズムの視点から活動する小原麗子（一九三五）と石川純子（一九四二―二〇〇八）、および小原が主宰する「麗ら舎読書会」（北上市・女性会員一二名）の人びとに出会ったのは、必然だったように思われる。

小原麗子はリブやフェミニズムという言葉が存在しない時代から、「自活」という言葉を拠り所に経済的自立、読み書きできる時間と場所の確保、自らの生き方を決定できる自由の獲得をめざした。その姿勢の根底にあったのは、「家」と「国」に詫びて自殺した姉の存在、姉を自死に追いやり、自分もつぶされると感じた家制度への抵抗として、「嫁」に行かないという生き方を選んだ。「自己主張と自己表現、私たちは私たちなりに、はっきり物を言える場を作っていかなければならない」と。血縁に基づき、ジェンダーを軸として構成員を序列化する「家」とは異なる、「選択縁」の構築を目指して立ち上げたのが麗ら舎である。

小原にとって、文章を書くことは、単なる自己表現にとどまらず、自分の考えをつくるものであり、自己救済でもあったという。「詩を作るより田を作れ」「おなごは本など読まずともよい」という風土の中で、ムラに住み、生活記録としての詩の書き手であり続けている。

石川純子は一九六〇年代の安保反対闘争など、政治の季節に青春期を過ごし、学生運動を通じて男性に伍して生きる主体の構築を企図した。結婚し、妊娠・出産に当たっても、女性が孕み、母になることは、決して「自然過程」ではなく、つねに問い直されるべき既成のイデオロギーの一つとしてとらえる。石川の女性解放論、「孕みの思想」である。あえて孕むという言葉を使ったのは、母性幻想への回収を回避しようとする言語上の戦略でもある。

石川にとって「農婦」の語りを聞くことは、彼女たちが保持しているだろう知恵や内面的豊かさによって、自己の枠組みを捉え返して内省し、自らをひらく「孕みの思想」の実践であった。

石川は聞き書き『さつよ媼(おばば)—おらの一生、貧乏と辛抱』(草思社、二〇〇六)の中で言う。「人はね、心の高さですよ。自力で頑張った人だけれども、生かされてるという。こういう人達の言葉に出会うと私ら木っ端みじん」と。

東北の女性たちが、それぞれの実生活の中で、性差別、家意識、貧困など、さまざまな困難に身を置きながら、格闘し、借り物でない「おなご」の思想が生み出された。この鉱脈を掘り起こし、世に問うた著者の情熱が熱く伝わってくる。この書は、もともとは研究論文として書かれ、調査も記述も綿密である。しかし、著者自身の心の叫びが、単なる論文の域を遥かに超えて、読む者に迫り、深い感動を与えてくれる書である。(M)

『福島モノローグ』いとうせいこう

河出書房新社　2021

『文藝』二〇一九年夏季号から二〇年に連載した五本に、三本の描き下ろしを追加。惹句に「生きる、語る、それを、ただ聴く。東日本大震災から一〇年、『想像ラジオ』から八年、文学×ノンフィクションの臨界点に挑んだ二一世紀の『苦海浄土』、ここに誕生」とある。

すべて語り手の一人語りで、聞き手の質問や意見は記述には、はぶかれている。それどころか、語り手の名前、年齢、性別、住所、語られた場所すらない。それらは、読み進むうちにおぼろにわかっていくことになる。モノローグと名付けられたゆえんだろう。

語っているのは必ずしも福島の被災者だけではない。一〇年たっているのだから、その後が語られるのは確かだが、牛の惨状を見かねて通ううち、牧場を開いてしまった女性がいる。子育て中の人、帰還した人、帰還しない人、移住先での暮らしも様々、避難施設の中でラジオ局を開いた人、復興住宅で暮らす人、男性も女性も、若い人も年寄りも、様々なその後の一〇年が語られている。登場するのは八人だが、取り巻く人びとの暮らしもかいま見える。皆それぞれが抱えている切実な問題を語っている。それには聞き手の質問などは、いらないように見える。また、まだ語れないことの数々は、質問があってもなくても、語れないだろう。

しかしここで聞き手はまったくいらないのだろうかというと、そんなことはない。語り手は聞き手を求めている。聞いてほしがっている。自分でも名指ししえないこの一〇年は、なんだったのか、何があって、どうなって、いまがあるのか。聞き手もまた、聞きたがっている。何がどうして、どうなって、いまがあるのか。両者の思いが重なって、本書が生まれている。

一見穏やかなページの進行のかげにこの熱い思いがあって、それが本書を構成し、読み進む力となっている。

聞くことはただ一人からでもできる。聞き手にその熱い思いさえあれば、と思わせてくれる一冊である。「聞く仕事」をずーっと続けると、著者も語っている。

本書に先立って書かれた小説『想像ラジオ』（河出書房新社　二〇一三）は、死んだ者が、樹上から生きているものに語りかけるという形で書かれていた。

震災後すぐに読んだ時はあまりピンとこなかったが、いま再読すると、著者の思いが痛いほど伝わってくる。生者と死者の交換のラジオなのだ。さまよう死者と生者がつながるすべは、必ずあるのだ。死者の思いを忘れずに、死者と交換しながら生き続けること、それが明日を生きる私たちの課題なのだ。震災後すぐに本書を著した著者の意図をはっきりと感じる。（U）

『風よ鳳仙花の歌をはこべ　関東大震災・朝鮮人虐殺・追悼のメモランダム』

ほうせんか（関東大震災時に虐殺された朝鮮人の遺骨を発掘し追悼する会）編著

教育史料出版会　1992／ころから発行　増補新版　2021

本書は一九九二年、教育史料出版会から刊行された同名の本を底本として、第Ⅱ部に、それから三〇年後の追悼碑建立の活動などを追加して復刊された（2021）。

第Ⅰ部には関東大震災を体験した人びとが存命で、貴重な体験として一五〇人の証言が収録されている。すでに品切れで、入手困難になっていた。

荒川土手に埋められた殺害された犠牲者の遺骨を掘り起こす作業は、証言をもとに始められた。遺骨の採掘は難しかったが、その作業を見守る人びとの中から、新たな証言が出ている。警察や軍隊の関与や、虐殺の隠蔽（いんぺい）も明らかにされた。住民から組織された自警団だけの犯罪ではなかったことも明らかにされた。

目撃者の中にはまだ実名を出すことを拒む者もいた。しかし、命の危険を冒して朝鮮人をかくまった人もいて、ほっとする。

加害の側の歴史だけではなく、犠牲者の話を聴こう、ということで、一九八三年から四度の韓国訪問をしている。遺族の話や韓国の風土は、犠牲者の胸に残るものとして刻まれた。

第Ⅱ部では毎年の追悼式の中で、追悼碑の建立が願われ、二〇〇九年、墨田区荒川の河川敷の近くに、多くの人びとの基金によって、追悼碑ができたことを中心にまとめられている。

「名前さえ知られず、どこに埋められたのかもわからないままの朝鮮人犠牲者を忘れず、追悼の思いを形にして残したかった。そしてヘイトクライム（差別的な憎悪犯罪）を繰り返さず、多民族が共に生きる誓いの場としたいと願って」碑は建てられた。

碑の裏には以下の文が刻まれている。

「一九二三年　関東大震災の時、日本の軍隊・警察・流言蜚語（りゅうげんひご）を信じた民衆によって、多くの韓国・朝鮮人が殺害された。東京の下町一帯でも、植民地下の故郷を離れ日本に来ていた人々が、名も知らぬまま尊い命を奪われた。この歴史を心に刻み、犠牲者を追悼し、人権の回復と両民族の和解を願ってこの碑を建立する。

二〇〇九年九月　関東大震災時に虐殺された朝鮮人の遺骨を発掘し追悼する会　グループほうせんか」

この碑が当初の願いどおり、事件を忘れず、繰り返されないことを誓って、ここに立ち続けることを願っている。（U）

『関東大震災　描かれた朝鮮人虐殺を読み解く』新井勝紘　新日本出版社　二〇二二

参考文献／学会・研究会紹介

折井美耶子

参考文献

『記憶から歴史へ　オーラル・ヒストリーの世界』

ポール・トンプソン著　酒井順子訳　青木書店　二〇〇二

著者は、イギリス、エセックス大学教授。一九七〇年に雑誌『オーラル・ヒストリー』を創刊。本書は、一九七八年に初版を出版して以来、版を重ね各国でも翻訳され、現在、英語で書かれたオーラル・ヒストリーのテキストとしては世界中で最も読まれている。日本語版で五〇〇余ページに及ぶ大著であるが、読みやすくしかも示唆に富んでいる。オーラル・ヒストリーを志す人にとっては、必読の書ではないかと思われる。

『オーラルヒストリーの理論と実践』

ヴァレリー・R・ヤウ原著　吉田かよ子監訳　インターブックス　二〇一一

著者は、アメリカ、ウイスコンシン大学で歴史学の博士号を取得し、のちノースカロライナ大学でオーラル・ヒストリープログラムの方法論を学んだ。一九七〇年代半ばより本格的な地域女性史のオーラル・ヒストリープロジェクトに取り組む。長年にわたりアメリカのオーラル・ヒストリー学会で活動し、主要な役割を果たしてきた。本書は、インタビューの技法、分析と解釈など一一章にわたり、オーラル・ヒストリープロジェクトの流れを記した著書である。

『語る歴史、聞く歴史――オーラル・ヒストリーの現場から』

大門正克著　岩波新書　二〇一七

著者は、横浜国立大学名誉教授であり、日本におけるオーラル・ヒストリアンとして第一人者ともいえる。本書では、幕末明治の回顧、そして民俗学、戦争体験、戦後の女性たちのさまざまな声などをめぐって、著者自身の豊富な体験も含めての考察から、あらたな歴史学を追究する。「語ることと聞くことの〈現場〉を通して歴史のなかに生気を吹き込み、歴史を生き生きしたもの」にと述べている。

『市民のオーラル・ヒストリー――歴史を書く力を取り戻す』

酒井順子著　かわさき市民アカデミー講座ブックレット　No.29

著者は、イギリスのエセックス大学において、ポール・トンプソン教授のもとでオーラル・

ヒストリーを学んで帰った。トンプソンの『記憶から歴史へ』の翻訳者でもある。

本書は、川崎市民アカデミーでの講座をもとに、新たに書き起こしたもので、具体的かつ実践的な本である。

そのほか、以下の本が参考になる。

『思想の科学　方法としての聞き書』No.一一一　思想の科学　一九七九年一〇月　臨時増刊号

『ライフ・ヒストリーを学ぶ人のために』谷富夫編　世界思想社　一九九六

『記憶すること・記録すること　聞き書き論ノート』香月洋一郎　吉川弘文館　二〇〇二

『オーラル・ヒストリー　現代史のための口述記録』御厨貴　中公新書　二〇〇二（「本書ではオーラル・ヒストリーを『公人の、専門家による、万人のための口述記録』と定義」し、一般人の口述記録は視野に入っていない）

『ライフストーリーとジェンダー』桜井厚編　せりか書房　二〇〇三

『歴史の描き方③　記憶が語りはじめる』冨山一郎編　ひろたまさき、キャロル・グラック監修　東京大学出版会　二〇〇六

『過去を忘れない　語り継ぐ経験の社会学』桜井厚・山田富秋・藤井泰編　せりか書房　二〇〇八

学会・研究会紹介

日本オーラル・ヒストリー学会

二〇〇三年九月、設立大会が行なわれた。学会の英文表記であるJapan Oral History Association から、通称JOHAと称されている。

学会誌『日本オーラル・ヒストリー研究』は、二〇〇六年に創刊。年刊として二二年に、第一八号（明石書店）が発行されている。

オーラル・ヒストリー総合研究会（英文表記 Oral History Workshop）

二〇〇三年一月三一日、発会式を行ない、その後、中野卓氏による講演会「オーラル・ライフ・ヒストリーについて」を開催した。

第二回例会は三月一四日、イギリスからのポール・トンプソン氏を迎えてのワークショップを行なった。

会報『Oral History Workshop News』は、二〇〇三年六月一五日に創刊。二三年五月、№51まで発行されている。

あとがき

本書の最初の集まりが開かれたのは、二〇一三年一一月でした。オーラル・ヒストリーの名著を紹介するという企画が持ち込まれ、前に『橋浦家の女性たちオーラル・ヒストリー』（二〇一〇年、ドメス出版）で聞き書きをともにした折井美耶子、宮崎黎子、生方孝子の三人で研究会を始めました。

三人は、オーラル・ヒストリー総合研究会の創立時（二〇〇三年）からのメンバーでもありました。

研究会を重ねるうちに、この仕事がどんどん面白くなり、取り上げたい本の数も増えていきました。当初は地域女性史も取り上げたいということで、意気込んでいたのですが、その仕事の膨大さに途中であきらめざるを得ませんでした。

本書には三人がこれまで感動し、教えられたオーラル・ヒストリーの本を取り上げました。できるだけ広い分野の本をと心がけました。

学校では歴史教育を十分学んでこなかった私たちは、聞き書きの名著から、生きた歴史を学ぶことが多かったのです。ご多分に漏れず、高校の歴史の授業は、現代までとどかず、受験に出る事項の線引きだけのものになることが多かったのです。

企画がながれてからも、三人で、月に一度集まってはオーラル・ヒストリーの名著を読むことを続けていました。楽しかったのです。

ここに挙げた本のほかに、もっと取り上げたい名著などたくさんありますが、編著者三人の独断と偏見と、お許しください。

二〇二一年六月三〇日、宮崎さんが急逝されました。思いがけないことに驚いて、「オーラル・ヒストリー総合研究会」のニュースに、宮崎さんの追悼号を出すのが精いっぱいでした。それから何をしていたのか、3周忌を目前にして、ようやく宮崎さんの書き残したものも含めて、この仕事をまとめなければと思い立ったのです。

時間がかかりましたが、こうして三人の共著が出ることになってうれしく思っています。なお宮崎さんとの生前のお約束通り、カバーと扉は娘さんの聡子さんの絵で飾らせていただきました。

文末のMは宮崎、Oは折井、Uは生方の執筆です。思い立った人が引き受けて書くというスタイルでした。

二〇二三年六月三〇日

折井美耶子　　生方孝子

オーラル・ヒストリー
——聞き書きの世界

2023年 8 月15日　第 1 刷発行
定価：本体2000円＋税

編著者　折井美耶子・宮崎黎子・生方孝子
発行者　佐久間光恵
発行所　株式会社 ドメス出版
東京都文京区白山3-2-4
振替　0180-2-48766
電話　03-3811-5615
FAX　03-3811-5635
http://www.domesu.co.jp
印刷・製本所　株式会社 太平印刷社

ISBN978-4-8107-0865-3　C0036